TERMAU HYBU IECHYD

TERMS FOR HEALTH PROMOTION

Cyhoeddwyd gan/*Published by*:
PRIFYSGOL CYMRU, BANGOR
UNIVERSITY OF WALES, BANGOR
ac/*and*
AWDURDOD IECHYD GOGLEDD CYMRU
NORTH WALES HEALTH AUTHORITY
2000

CANOLFAN SAFONI TERMAU
Prifysgol Cymru, Bangor
Trefenai
Ffordd Caergybi
Bangor
Gwynedd
LL57 2PX
Ffôn: (01248) 382800
Ffacs: (01248) 383990

CENTRE FOR THE STANDARDIZATION OF WELSH TERMINOLOGY
University of Wales, Bangor
Trefenai
Holyhead Road
Bangor
Gwynedd
LL57 2PX
***Tel:* (01248) 382800**
***Fax:* (01248) 383990**

AWDURDOD IECHYD GOGLEDD CYMRU
Preswylfa
Ffordd Hendy
Yr Wyddgrug
Sir y Fflint
CH7 1PZ
Ffôn: (01352) 700227
Ffacs: (01352) 754649
Safwe:
http://www.nwales-ha.wales.nhs.uk

NORTH WALES HEALTH AUTHORITY
Preswylfa
Hendy Road
Mold
Flintshire
CH7 1PZ
***Tel:* (01352) 700227**
***Fax:* (01352) 754649**
Web Site:
http://www.nwales-ha.wales.nhs.uk

ISBN 1-84220-009-7

Argraffwyd gan Argraffdy Menai, Prifysgol Cymru, Bangor
Printed by Argraffdy Menai, University of Wales, Bangor

TERMAU HYBU IECHYD

TERMS FOR HEALTH PROMOTION

Addaswyd o'r Thesawrws Ewropeaidd Amlieithog ar Hybu Iechyd

Adapted from the Multilingual European Thesaurus on Health Promotion

Golygydd/*Editor*: Delyth Prys

Canolfan Safoni Termau Prifysgol Cymru, Bangor

Centre for the Standardization of Welsh Terminology
University of Wales, Bangor

RHAGAIR

Rwy'n croesawu cyhoeddi'r geiriadur termau iechyd hwn yn fawr iawn. Mae hyn yn rhywbeth y bu'r gwasanaeth yng Nghymru yn galw amdano ac rwy'n hyderus y bydd yn gwella ansawdd y gofal iechyd a ddarperir ac yn hyrwyddo cyfieithiadau mwy cyson ledled Cymru. Bydd hyn yn ein galluogi i ddarparu'r gwasanaeth yn well yn newis iaith y claf.

Mae'r Awdurdod Iechyd yn cydnabod pa mor fuddiol yw cyfathrebu'n glir ac mae hyn yn arbennig o bwysig yn ein cymuned ddwyieithog. Roeddwn yn hynod falch fod pob Awdurdod Iechyd yng Nghymru wedi cefnogi'r project hwn, sy'n cael ei ddatblygu gan yr Awdurdod Iechyd gyda chefnogaeth y Ganolfan Safoni Termau, o fewn fframwaith Cynllun Iaith Gymraeg yr Awdurdod. Edrychaf ymlaen at weld cynnydd yn ei ddefnydd i gefnogi gofal cleifion, datblygiad Rhaglenni Gwella Iechyd ac addysg gofal iechyd.

Rwy'n siwr y bydd amrywiaeth o weithwyr iechyd proffesiynol a chyfieithwyr yn gwneud defnydd eang o'r geiriadur. Edrychwn ymlaen at ragor o waith datblygu'r derminoleg fel rhan o gyfraniad y Gwasanaeth Iechyd at ddatblygu'r Gymraeg fel iaith fyw.

PREFACE

I greatly welcome the publication of this health terminology dictionary. This is something the service in Wales has been asking for and I am confident it will both enhance the quality of health care provided and facilitate more consistent translations throughout Wales. This will enable us to better provide the service in the language of the patient's choice.

The Health Authority recognises how beneficial it is to communicate clearly and this is particularly important in our bilingual community. I was particularly pleased that all the Health Authorities in Wales have supported this project, which is being developed by the Health Authority with the support of the Centre for the Standardization of Welsh Terminology, within the framework of the Authority's Welsh Language Scheme. I look forward to its increasing use in support of patient care, the development of Health Improvement Programmes and in the teaching of health care education.

I am sure that the dictionary will be widely used by health professionals and by interpreters and translators. We look forward to further development work on the terminology as part of the Health Service's contribution to the development of Welsh as a living language.

Enid Rowlands
Cadeirydd / *Chair*
Awdurdod Iechyd Gogledd Cymru / *North Wales Health Authority*

DIOLCHIADAU

Bu amryw o bobl yn ymwneud â llunio'r geiriadur termau iechyd hwn. Roedd rhai yn bobl broffesiynol yn y maes ac eraill yn arbenigwyr iaith tra bu eraill yn chwilio am ffynonellau arian i gyhoeddi ac argraffu'r gwaith. Aelodau'r grwp a fu'n bennaf gyfrifol am ddwyn y gwaith hwn i ben oedd:

Mrs Anne Ll Roberts (Cyn Ddirprwy Gadeirydd Awdurdod Iechyd Gogledd Cymru a chadeirydd y grwp)
Dr Gwyneth Carey (Uwch Swyddog Meddygol Clinigol wedi ymddeol)
Dr Edward J J Davies (Meddyg Teulu wedi ymddeol a chyn-olygydd Cennad)
Dr Jeff Evans (Cyfarwyddwr Astudiaethau, Athrofa Astudiaethau Iechyd, Wrecsam)
Mrs Elfrys Jones (Swyddog Iaith Gymraeg, Awdurdod Iechyd Gogledd Cymru)
Dr Prys Morgan Jones (Deon Addysg a Chyfarwyddwr Canolfan Safoni Termau, Prifysgol Cymru Bangor)
Mrs Elen Lansdown (Cyfieithydd, Ymddiriedolaeth GIG Gogledd Orllewin Cymru)
Mrs Myfanwy Povey (Cyd-drefnydd Uwch, Astudiaethau Bydwreigiaeth, Ysgol Nyrsio, Bydwreigiaeth ac Astudiaethau Iechyd)
Mrs Delyth Prys (Prif Olygydd, Canolfan Safoni Termau, Prifysgol Cymru Bangor)
Dr Glynne Roberts (Rheolwr Hybu Iechyd, Awdurdod Iechyd Gogledd Cymru)
Mrs Gwerfyl Roberts (Darlithydd, Ysgol Nyrsio, Bydwreigiaeth ac Astudiaethau Iechyd)

Hefyd, dymuna Awdurdod Iechyd Gogledd Cymru ddiolch i'r grwp am ei waith a hefyd i'r canlynol am eu cefnogaeth ariannol tuag at gwblhau'r gwaith.
Awdurdod Iechyd Bro Taf
Awdurdod Iechyd Dyfed Powys
Awdurdod Iechyd Gwent
Awdurdod Iechyd Morgannwg

Mae Awdurdod Iechyd Gogledd Cymru yn ddiolchgar i Gymunedau Ewrop, 1998 am roi caniatâd iddynt ddefnyddio'r *Multilingual European Thesaurus on Health Promotion* fel sylfaen i'r cyhoeddiad hwn.

ACKNOWLEDGEMENTS

A number of people have been involved with the task of producing this health terminology dictionary. Some were professionals in the field, some were language specialists while others were involved in securing funding to publish and print the work. The members of the group which was mainly responsible for producing the dictionary were:

Mrs Anne Ll Roberts (Former Deputy Chair, North Wales Health Authority and chair of the group)
Dr Gwyneth Carey (Retired Senior Clinical Medical Officer)
Dr Edward J J Davies (Retired Family Practitioner and former editor of Cennad)
Dr Jeff Evans (Director of Studies, Institute of Health Studies, Wrexham)
Mrs Elfrys Jones (Welsh Language Officer, North Wales Health Authority)
Dr Prys Morgan Jones (Dean of Education and Director the Centre for the Standardization of Welsh Terminology, University of Wales, Bangor)
Mrs Elen Lansdown (Translator, North West Wales NHS Trust)
Mrs Myfanwy Povey (Senior Coordinator, Midwifery Studies, School of Nursing, Midwifery and Health Studies, University of Wales, Bangor)
Mrs Delyth Prys (Chief Editor, Centre for the Standardization of Welsh Terminology, University of Wales, Bangor)
Dr Glynne Roberts (Health Promotion Manager, North Wales Health Authority)
Mrs Gwerfyl Roberts (Lecturer, School of Nursing, Midwifery and Health Studies, University of Wales, Bangor)

North Wales Health Authority wishes to thank the group for its work and also the following for their financial support towards completing the work:
Bro Taf Health Authority
Dyfed Powys Health Authority
Glamorgan Health Authority
Gwent Health Authority

The North Wales Health Authority gratefully acknowledges the permission given by the European Communities, 1998 to use the Multilingual European Thesaurus on Health Promotion *as the basis for this publication.*

RHAGYMADRODD

Mae'r geiriadur *Termau Hybu Iechyd* yn seiliedig ar y *Multilingual European Thesaurus on Health Promotion*. Bwriad y thesawrws amlieithog Ewropeaidd oedd hybu rhannu a chydweithio rhwng gwledydd Ewrop ym maes hybu iechyd ac addysg iechyd drwy ddarparu terminoleg safonol. Yr oedd hyn yn ei wneud yn addas i fod yn sylfaen i'r geiriadur dwyieithog, Cymraeg i Saesneg a Saesneg i Gymraeg, a welir yma.

Lluniwyd y thesawrws cyntaf yn yr Almaeneg, y Ffrangeg, yr Iseldireg a'r Saesneg, ac mae'r gwaith yn mynd rhagddo ar saith iaith Ewropeaidd arall. Fodd bynnag, nid yw'r Gymraeg yn un o'r ieithoedd hyn. Eto i gyd, y mae angen mawr am dermau safonol Cymraeg ym maes hybu iechyd ac addysg iechyd. Yn sgil Deddf yr Iaith Gymraeg 1993 a'r angen i ddarparu gwasanaethau cyhoeddus o safon i Gymry Cymraeg a di-Gymraeg fel ei gilydd, cynyddodd y galw am dermau safonol yn y Gymraeg ar gyfer y rhai sy'n gweithio yn yr amgylchedd dwyieithog hwn. Lluniwyd y geiriadur termau hwn felly at ddefnydd gweithwyr proffesiynol a chyfieithwyr yng Nghymru.

Mae'r geiriadur wedi'i drefnu yn ôl trefn y wyddor ac mae hefyd yn cynnwys gwybodaeth ramadegol ychwanegol megis rhannau ymadrodd a lluosogion, nad oedd yn rhan o gynllun y thesawrws gwreiddiol, ond a fydd yn ddefnyddiol i'r rhai sy'n gweithio drwy gyfrwng y Gymraeg. Mae hefyd yn cynnwys mewn atodiad y termau Cymraeg sy'n cael eu rhestru fesul pwnc fel y maent yn ymddangos yn y strwythur macro, sef cynllun cyffredinol y thesawrws. Yma mae'r termau wedi'u grwpio'n gysyniadol, a cheir hefyd y codau Ewropeaidd sy'n cyd-fynd â hwy, er mwyn medru defnyddio'r termau Cymraeg ochr yn ochr â'r ieithoedd Ewropeaidd eraill, os daw cyfle i wneud hynny yn y dyfodol. Yn y strwythur macro dim ond y termau sy'n cael eu hargymell a roddir, ond mae prif gorff y geiriadur yn cynnwys termau eraill yn Saesneg sy'n gyfystyron, ond nad ydynt yn cael eu cymeradwyo fel y dewis cyntaf, ynghyd â thermau Cymraeg sy'n cyfateb iddynt, er mwyn cynorthwyo cyfieithwyr a all ddod ar draws y termau hyn yn eu gwaith.

Y mae'r geiriadur papur hwn yn allbrint o rannau o'r gronfa ddata Termau Hybu Iechyd a luniwyd ar gyfer y project ac a gedwir yn y Ganolfan Safoni Termau yn y brifysgol ym Mangor. Mae'r gronfa ddata lawn yn cynnwys gwybodaeth ychwanegol megis nodiadau ar y broses ddewis, a gall fod yn sail i waith pellach yn y maes.

Ceir y gronfa ddata hefyd ar y We, a'r cyfeiriad yw http://www.melin.bangor.ac.uk. Mae'r thesawrws amlieithog Ewropeaidd i'w weld ar y We ar http://www.nigz.nl/methp.html.

Delyth Prys
Canolfan Safoni Termau
Prifysgol Cymru, Bangor

INTRODUCTION

The terminology dictionary Terms for Health Promotion is based on the Multilingual European thesaurus on health promotion. The aim of the Multilingual European Thesaurus was to promote, among the countries of Europe, sharing and co-operation in the health promotion field through the provision of a standardized terminology. Such a purpose encouraged its use as the basis for the bilingual dictionary of terminology, Welsh to English and English to Welsh, drawn together here.

The first thesaurus was compiled in German, French, Dutch and English and other thesauri, in a further seven European languages, are being developed. Welsh, however, is not one of these languages. Nevertheless, there is a great need for standardized Welsh terminology in the field of health promotion and health education. The implementation of the 1993 Welsh Language Act and the need to provide quality public services to both Welsh and English language communities in Wales has meant that bilingual terms are required for those who work in this bilingual environment. This terminology dictionary was therefore designed for the use of professionals and translators in Wales.

The dictionary is in alphabetical order and also includes additional grammatical information such as parts of speech and plurals, which was not part of the original thesaurus, but which will be useful to those who work through the medium of Welsh. It also includes as an appendix the terms in Welsh listed under their subject headings as they appear in the macro structure, which is the overall thematic structure of the European thesaurus. Here the terms are grouped together according to concepts and the codes listed in the original are also given, so that the Welsh terms may be used side by side with the other European languages should the opportunity arise in the future. The macro structure gives the preferred terms only but the main body of the dictionary includes synonymous, non-preferred, English terms, together with corresponding Welsh terms which will benefit translators who may come across these in their work.

This paper copy is an off-print of sections of the Health Promotion Terminology database which was produced for this project and which is stored at the Centre for the Standardization of Welsh Terminology at the University at Bangor. The database itself contains additional information such as notes regarding the process of selection, and it may act as a basis for future work in the field.

The database may also be found on http://www.melin.bangor.ac.uk, which is the Melin (Minority European Information Network) website. The Multilingual European Thesaurus can be accessed on http://www.nigz.nl/methp.html.

Delyth Prys
Centre for the Standardization of Welsh Terminology
University of Wales, Bangor

Rhannau Ymadrodd a Byrfoddau

adf – adferf *(adverb)*
ans – ansoddair *(adjective)*
be – berfenw *(verb noun)*
eb - enw benywaidd *(feminine noun)*
eg - enw gwrywaidd *(masculine noun)*
eg/b - enw gwrywaidd neu fenywaidd *(masculine/feminine noun)*
ell - enw lluosog *(plural noun)*

adj – adjective *(ansoddair)*
n – noun *(enw)*
v – verb *(berf)*

Mae'r rhan ymadrodd yn cyfeirio at yr **ymadrodd cyfan** lle ceir mwy nag un gair, ac nid at eiriau unigol o fewn y term. Er enghraifft, mae **addysg maeth** (nutritional education) wedi'i restru fel enw benywaidd, am fod y ddau air fel ymadrodd yn gweithredu fel enw benywaidd (e.e. wrth beri i eiriau eraill dreiglo) er bod **addysg** ar ei ben ei hun yn enw benywaidd a **maeth** yn enw gwrywaidd.

Defnyddir **mass noun** a **count noun** i ddisgrifio enwau yn Saesneg. Mae **mass noun** yn cyfeirio at bethau na ellir eu rhifo ac nad oes modd creu lluosog ar eu cyfer, ac yn aml iawn, defnyddir y berfenw i gyfateb iddynt yn y Gymraeg. Mae **count noun** ar y llaw arall yn cyfeirio at rywbeth y gellir ei rifo a'i fynegi yn y lluosog, a defnyddir enw i gyfateb iddo yn Gymraeg.

Parts of Speech and Abbreviations

adf – adferf (adverb)
ans – ansoddair (adjective)
be – berfenw (verb noun)
eb - enw benywaidd (feminine noun)
eg - enw gwrywaidd (masculine noun)
eg/b - enw gwrywaidd neu fenywàidd (masculine/feminine noun)
ell - enw lluosog (plural noun)

adj – adjective (ansoddair)
n – noun (enw)
v – verb (berf)

The parts of speech for the terms in Welsh refer to the ***whole term*** *in terms containing more than one word, and not to individual words within the term. For example,* ***addysg maeth*** *(nutritional education) is listed as a feminine noun, because the two words taken together act as a feminine noun (e.g. when causing grammatical mutations to other words) even though taken separately* ***addysg*** *is a feminine noun and* ***maeth*** *is a masculine noun.*

Mass nouns *and* ***count nouns*** *are used to describe nouns in English. A* ***mass noun*** *refers to something which can not be counted and therefore has no plural, and a verb is often used to correspond to it in Welsh. A* ***count noun*** *on the other hand refers to something which can be counted and expressed in the plural, and a noun is used to express the same concept in Welsh.*

Cymraeg - Saesneg

Welsh - English

A

absenoldeb oherwydd salwch *eg* sick leave

aciwbigo *be* acupuncture *mass noun*

acne *eg* acne

achosiaeth *eb* causality

adeiladwaith ecolegol *eg* ecological construction

adferiad *eg* **adferiadau** rehabilitation

ADHD: anhwylder diffyg canolbwyntio a gorfywiogrwydd *eg* attention deficit and hyperactive disorder

adolygiad llenyddiaeth *eg* **adolygiadau llenyddiaeth** literature review

adroddiad ymchwil *eg* **adroddiadau ymchwil** research report

addasiad *eg* **addasiadau** adaptation

addysg *eb* education

addysg alwedigaethol *eb* vocational education

addysg amlddiwylliannol *eb* multicultural education

addysg ar alcohol *eb* alcohol education

addysg ar ddiet *eb* dietary education

addysg arbennig *eb* special education

addysg broffesiynol *eb* professional education

addysg cyfoed *eb* peer education

addysg cyn-geni *eb* antenatal education

addysg diogelwch *eb* safety education

addysg diogelwch ar y ffyrdd *eb* road safety education

addysg diogelwch galwedigaethol *eb* occupational safety education

addysg enwadol *eb* denominational education

addysg gorfforol *eb* physical education

addysg grŵp *eb* group education

addysg i gleifion *eb* patient education

addysg iechyd *eb* health education

addysg maeth *eb* nutritional education

addysg oedolion *eb* adult education

addysg rhyw *eb* sex education

addysg rhyw-benodol *eb* gender specific education

addysg sylfaenol i oedolion *eb* adult basic education

addysg un-i-un *eb* one-to-one education

addysg uwch *eb* higher education

aer *eb* air

afiechydon ac anhwylderau'r madruddyn *ell* spinal cord diseases and disorders

afiechyd cronig *eg* **afiechydon cronig** chronic illness

afiechyd galwedigaethol *eg* **afiechydon galwedigaethol** occupational disease

afiechyd meddwl *eg* mental illness

afiechyd plentyndod *eg* **afiechydon plentyndod** childhood disease

afiechyd trofannol *eg* **afiechydon trofannol** tropical disease

afiechyd y croen *eg* **afiechydon y croen** skin disease

afiechyd y fron *eg* **afiechydon y fron** breast disease

afiechyd y llwybr resbiradu *eg* **afiechydon y llwybr resbiradu** respiratory tract disease

afiechyd y llwybr treulio *eg* **afiechydon y llwybr treulio** digestive tract disease

afiechyd y llwybr wrinol *eg* **afiechydon y llwybr wrinol** urinary tract disease

afiechyd y prostad *eg* **afiechydon y prostad** prostate disease

afiechyd yr ymennydd *eg* brain disease

afiechydon ac anhwylderau niwrolegol *ell* neurological diseases and disorders

aflonyddwch rhywiol *eg* sexual harassment

agoraffobia *eg* agoraphobia

agwedd *eb* **agweddau** attitude

agwedd amlddiwylliannol *eb* **agweddau aml-ddiwylliannol** multicultural aspect

agwedd gyfannol *eb* holistic approach

AIDS *eg* AIDS

ailgylchu gwastraff *be* waste recycling

ailhyfforddi *eg* retraining ·

albinedd *eg* albinoism

alcohol *eg* alcohol

alcoholiaeth *eb* alcoholism

alcoholigion *ell* alcoholics

alecsia *eg* alexia

alergedd *eg* **alergeddau** allergy

alergedd bwyd *eg* **alergeddau bwyd** food allergy

alergedd cyffwrdd *eg* contact allergy

allfudo *be* emigration *mass noun*

alopesia *eg* alopecia

ALS: sglerosis ochrol amyotroffig *eg* amyotrophic lateral sclerosis

amddiffyniad rhag ymbelydredd *eg* radiation protection

amffetamin *eg* **amffetaminau** amphetamine

amgylchedd *eg* **amgylcheddau** environment

amgylchedd adeiledig *eg* built environment

amgylchedd gwaith *eg* work environment

amlgyfryngau *ell* multimedia

amnewidyn cig *eg* **amnewidion cig** meat substitute

amodau byw *ell* living conditions

amodau cyflogaeth *ell* employment terms

amodau gwaith *ell* working conditions

amser hamdden *eg* leisure time

amyl nitrad *eg* amyl nitrate

anabl i weithio *ans* incapacitated for work

anabledd *eg* **anableddau** disability

anabledd corfforol *eg* **anableddau corfforol** physical disability

anabledd dysgu *eg* **anableddau dysgu** learning disability

anaemia *eg* anaemia

anaemia cryman-gell *eg* sickle cell anaemia

anaesthesia *eg* anaesthesia

anaf *eg* **anafiadau** injury

anaf chwaraeon *eg* **anafiadau chwaraeon** sports injury

anaf diwydiannol *eg* **anafiadau diwydiannol** occupation injury

anaf galwedigaethol *eg* **anafiadau galwedigaethol** occupational injury

anaf i'r pen *eg* **anafiadau i'r pen** head injury

analluedd *eg* impotence

anatomi *eg* anatomy

anffrwythlondeb *eg* infertility

anffrwythloni *be* sterilization *mass noun*

angen am wybodaeth *eg* **anghenion am wybodaeth** information need

angina pectoris *eg* angina pectoris

anhwylder bwyta *eg* **anhwylderau bwyta** eating disorder

anhwylder cromosomaidd *eg* **anhwylderau cromosomaidd** chromosomal disorder

anhwylder cyfathrebu *eg* **anhwylderau cyfathrebu** communication disorder

anhwylder cyhyrysgerbydol *eg* **anhwylderau cyhyrysgerbydol** musculoskeletal disorder

anhwylder cynhenid *eg* **anhwylderau cynhenid** congenital disorder

anhwylder cysgu *eg* **anhwylderau cysgu** sleeping disorders

anhwylder datblygiad *eg* **anhwylderau datblygiad** developmental disorder

anhwylder diffyg canolbwyntio a gorfywiogrwydd *eg* attention deficit and hyperactive disorder (ADHD)

anhwylder endocrin *eg* **anhwylderau endocrin** endocrine disorder

anhwylder esgyrn *eg* **anhwylderau esgyrn** bone disorder

anhwylder ffobig *eg* **anhwylderau ffobig** phobic disorder

anhwylder gwynegol *eg* **anhwylderau gwynegol** rheumatic disorder

anhwylder gynaecolegol *eg* **anhwylderau gynaecolegol** gynaecological disorder

anhwylder haematolegol *eg* **anhwylderau haematolegol** haematologic disorder

anhwylder iaith *eg* **anhwylderau iaith** language disorder

anhwylder iechyd y geg *eg* **anhwylderau iechyd y geg** oral health disorder

anhwylder imiwnedd *eg* **anhwylderau imiwnedd** immune disorder

anhwylder imiwnolegol *eg* **anhwylderau imiwnolegol** immunologic disorder

anhwylder lleferydd *eg* **anhwylderau lleferydd** speech disorder

anhwylder meddwl *eg* **anhwylderau meddwl** mental disorder

anhwylder niwrotig *eg* **anhwylderau niwrotig** neurotic disorder

anhwylder personoliaeth *eg* **anhwylderau personoliaeth** personality disorder

anhwylder pigmentiad *eg* **anhwylderau pigmentiad** pigmentation disorder

anhwylder resbiradol *eg* **anhwylderau resbiradol** respiratory disorder

anhwylder seicosomatig *eg* **anhwylderau seicosomatig** psychosomatic disorder

anhwylder seicotig *eg* **anhwylderau seicotig** psychotic disorder

anhwylder tyfu *eg* **anhwylderau tyfu** growth disorder

anhwylder y clyw *eg* **anhwylderau'r clyw** hearing disorder

anhwylder y golwg *eg* **anhwylderau'r golwg** vision disorder

anhwylder y gwaed *eg* **anhwylderau'r gwaed** blood disorder

anhwylder y llygad *eg* **anhwylderau'r llygad** eye disorder

anhwylder y system lymffatig *eg* **anhwylderau'r system lymffatig** lymphatic system disorder

anhwylder y thyroid *eg* **anhwylderau'r thyroid** thyroid disorder

anhwylder ymddygiad *eg* **anhwylderau ymddygiad** behavioural disorder

anhwylder yr iau/afu *eg* **anhwylderau'r iau/afu** liver disorder

anhwylderau'r glust trwyn a gwddf *ell* ear nose and throat disorders (ENT)

anifail *eg* **anifeiliaid** animal

anllythrennedd *eg* illiteracy

annigonoldeb gwythiennol *eg* venous insufficiency

annwyd *eg* cold

annwyd cyffredin *eg* common cold

anorecsia nerfosa *eg* anorexia nervosa

ansawdd bywyd *eg* quality of life

ansawdd tai *eg* housing quality

anthropoleg *eb* anthropology

anthropoleg feddygol *eb* medical anthropology

anthropoleg gymdeithasol *eb* social anthropology

anymataliad *eg* incontinence

anymataliad wrinol *eg* urinary incontinence

anymataliad ysgarthion *eg* faecal incontinence

apoplecsi *eg* apoplexy

arbenigwr *eg* **arbenigwyr** expert

arbenigwr lleyg *eg* **arbenigwyr lleyg** lay expert

arbenigwr meddygol *eg* **arbenigwyr meddygol** medical specialist

arbrawf *eg* **arbrofion** experiment

archwiliad *eg* **archwiliadau** audit

archwiliad meddygol *eg* **archwiliadau meddygol** medical examination

arddangosfa *eb* **arddangosfeydd** exhibition

arfer (mewn ymddygiad) *eg* **arferion** habit

arfer (=traddodiad) *eg* **arferion** custom

arfer rhywiol *eg* **arferion rhywiol** sexual practice

arferion bwyta *ell* eating habits

ariannu *be* funding

arllwysiad o'r wain *eg* vaginal discharge

arsylwi *be* observation *mass noun*

arthritis *eg* arthritis

arthrosis *eg* arthrosis

arwahanu *be* isolation *mass noun*

arwahanu cymdeithasol *be* social isolation

asbestos *eg* asbestos

asesiad *eg* **asesiadau** assessment

asesiad anghenion iechyd *eg* **asesiadau anghenion iechyd** health needs assessment

asesu anghenion *be* needs assessment

asid ffolig *eg* folic acid

asthma *eg* asthma

astudiaeth achos *eb* **astudiaethau achos** case study

astudiaeth dichonolrwydd *eb* **astudiaethau dichonolrwydd** feasibility study

astudiaethau carfan *ell* cohort studies

astudiaethau addysg iechyd *ell* health education studies

astudiaethau arfaethedig *ell* prospective studies

astudiaethau cymdeithasol *ell* social studies

astudiaethau cymharol *ell* comparative studies

astudiaethau poblogaeth *ell* population studies

astudiaethau'r amgylchedd *ell* environmental studies

atacsia Friedreich *eg* Friedreich's ataxia

atal *be* prevention *mass noun*

atal dweud *be* stutter

atal cenhedlu *be* contraception

atal cenhedlu brys *be* emergency contraception

atal cenhedlu naturiol *be* natural contraception

atal tân *be* fire prevention

atal trychinebau *be* disaster prevention

ataliad *eg* inhibition

athro/athrawes *eg/b* **athrawon** teacher

awtistiaeth *eb* autism

awyriad *eg* ventilation

B

baban *eg* **babanod** infant

bachgen *eg* **bechgyn** boy

baco *eg* tobacco

balneotherapi *eg* balneotherapy

barbitiwrad *eg* **barbitiwradau** barbiturate

bathodyn ***eg*** **bathodynnau** badge

beichiogiad ***eg*** conception

beichiogrwydd ***eg*** pregnancy

beichiogrwydd digroeso ***eg*** unwanted pregnancy

beicio ***be*** cycling

bensodiasepin ***eg*** **bensodiasepinau** benzodiazepine

benyw ***ans*** female

bioleg ***eb*** biology

biorhythm ***eg*** **biorhythmau** biorhythm

blinder ***eg*** fatigue

boddhad cleifion ***eg*** patient satisfaction

boddi ***be*** drowning

brech Almaenig ***eb*** German measles

brech clwt/cewyn ***eb*** nappy rash

brech goch ***eb*** measles

brech yr ieir ***eb*** chickenpox

brechu ***be*** vaccination *mass noun*

breuddwydio ***be*** dreaming

brodyr a chwiorydd ***ell*** siblings

broncitis ***eg*** bronchitis

bwlimia nerfosa ***eg*** bulimia nervosa

bwlio ***be*** bullying

bwrdd bwletin ***eg*** **byrddau bwletin** bulletin board

bwyd ***eg*** **bwydydd** foodstuff

bwyd cyfleus ***eg*** **bwydydd cyfleus** convenience food

bwyd sydyn ***eg*** **bwydydd sydyn** fast food

bwydo â photel ***be*** bottle feeding

bwydo ar y fron ***be*** breast feeding

byddardod ***eg*** deafness

byddardod-dallineb ***eg*** deaf-blindness

bydi ***eg*** **bydïaid** buddy

bydwraig ***eb*** **bydwragedd** midwife

bydwreigiaeth ***eb*** midwifery

byr-olwg ***eg*** short-sightedness

C

cadw at ***be*** adherence

cadw bwyd ***be*** food preservation

caethiwed (i gyffuriau etc) ***eg*** addiction

caethiwed i gamblo ***eg*** gambling addiction

caethiwed i fwyd ***eg*** food addiction

caethiwed i waith ***eg*** work addiction

calori ***eg*** **caloriau** calorie

calsiwm ***eg*** calcium

cam-drin partner ***be*** partner abuse

cam-drin plant ***be*** child abuse

cam-drin plant yn rhywiol ***be*** child sexual abuse

cam-drin rhieni ***be*** parent abuse

cam-drin rhywiol ***be*** sexual abuse

cam-drin yr henoed ***be*** elder abuse

camddefnyddio alcohol ***be*** alcohol misuse

camddefnyddio cyffuriau ***be*** drug misuse

camddefnyddio meddyginiaethau *be* medicament misuse

camddefnyddio sylweddau *be* substance misuse

camfaethiad *eg* malnutrition

canabis *eg* cannabis

candidiasis *eg* candidiasis

canolfan gadw *eb* **canolfannau cadw** custodial centre

canolfan wybodaeth *eb* **canolfannau gwybodaeth** information centre

canolfan ymchwil *eb* **canolfannau ymchwil** research centre

canser *eg* **canserau** cancer

canser bronciol *eg* bronchial cancer

canser cerfigol *eg* cervical cancer

canser y bledren *eg* bladder cancer

canser y coluddyn *eg* bowel cancer

canser y croen *eg* skin cancer

canser y fron *eg* breast cancer

canser y gaill *eg* testicular cancer

canser y geg *eg* oral cancer

canser y gwddf *eg* throat cancer

canser y prostad *eg* prostate cancer

canser y stumog *eg* stomach cancer

canser y thyroid *eg* thyroid cancer

canser yr iau/afu *eg* liver cancer

canser yr oesoffagws *eg* oesophageal cancer

canser yr ysgyfaint *eg* lung cancer

carbohydrad *eg* **carbohydradau** carbohydrate

carbohydrad cymhleth *eg* **carbohydradau cymhleth** complex carbohydrate

carchardy *eg* **carchardai** prison

cariad *eg* love

Caribïaidd *ans* Caribbean

carreg y bustl *eb* **cerrig y bustl** gallstone

cartref hen bobl *eg* **cartrefi hen bobl** old people's home

cartref nyrsio *eg* **cartrefi nyrsio** nursing home

cartrefi i bobl anabl *ell* disability housing

casét fideo *eg* **casetiau fideo** videocassette

casét sain *eg* **casetiau sain** audio cassette

casglu data *be* data collection

casineb *eg* hate

cataract *eg* **cataractau** cataract

CD: cryno ddisg *eg* **cryno ddisgiau** compact disc

cefnogaeth deuluol *eb* family support

cemotherapi *eg* chemotherapy

cenedlaethol *ans* national

cenhedliad cynorthwyedig *eg* assisted conception

cerdded *be* walking

CHD: afiechyd coronaidd y galon *eg* coronary heart disease

cig *eg* meat

ciropracteg *eb* chiropractice *n*

claf *eg* **cleifion** patient

claf ag afiechyd cronig *eg* **cleifion ag afiechyd cronig** chronically ill patient

clamydia *eg* chlamydia

clefyd *eg* **clefydau** disease

clefyd a drosglwyddir yn rhywiol *eg* **clefydau a drosglwyddir yn rhywiol** sexually transmitted disease (STD)

clefyd Alzheimer *eg* Alzheimer's disease

clefyd cardiofasgiwlar *eg* **clefydau cardiofasgiwlar** cardiovascular disease

clefyd y genitalia *eg* **clefydau'r genitalia** genital disease

clefyd coeliag *eg* coeliac disease

clefyd coluddyn llidus *eg* irritable bowel disease

clefyd coronaidd y galon *eg* coronary heart disease (CHD)

clefyd Creutzfeldt Jacob *eg* Creutzfeltd Jacob disease

clefyd Crohn *eg* Crohn's disease

clefyd cyffwrdd-ymledol *eg* **clefydau cyffwrdd-ymledol** contagious disease

clefyd cysgu *eg* sleeping disease

clefyd fasgiwlar *eg* **clefydau fasgiwlar** vascular disease

clefyd gwenerol *eg* **clefydau gwenerol** venereal disease (VD)

clefyd heintus *eg* **clefydau heintus** infectious disease

clefyd hysbysadwy *eg* **clefydau hysbysadwy** notifiable disease

clefyd imiwnolegol *eg* **clefydau imiwnolegol** immunologic disease

clefyd Hodgkin *eg* Hodgkin's disease

clefyd Lyme *eg* Lyme disease

clefyd niwrogyhyrol *eg* **clefydau niwrogyhyrol** neuromuscular disease

clefyd parasitig *eg* **clefydau parasitig** parasitic disease

clefyd Parkinson *eg* Parkinson's disease

clefyd trosglwyddadwy *eg* **clefydau trosglwyddadwy** communicable disease

clefyd yr arennau *eg* **clefydau'r arennau** kidney disease

cleient *eg* **cleientiaid** client

cleptomania *eg* kleptomania

clerigwyr *ell* clergy

clinig *eg* **clinigau** clinic

cloc y corff *eg* body clock

cludiant *eg* transport

cludiant cyhoeddus *eg* public transport

cludiant preifat *eg* private transport

clwb ieuenctid *eg* **clybiau ieuenctid** youth club

clwyf *eg* **clwyfau** wound

clwy'r gwair *eg* hay fever

clwy pennau *eg* mumps

cnau *ell* nuts

cnawdnychiad myocardiaidd *eg* myocardial infarction

cocên *eg* cocaine

codi *be* lifting

cof *eg* memory

cofrestru *be* registration *mass noun*

coleg addysg bellach *eg* **colegau addysg bellach** college of further education

coleg addysg uwch *eg* **colegau addysg uwch** college of higher education

coleg polytechnig *eg* **colegau polytechnig** polytechnic *n*

colostomi *eg* colostomy

colli cwsg *be* sleep deprivation

colli gwallt *be* hair loss

colli swydd *be* redundancy *mass noun*

Comisiwn Ewropeaidd *eg* European Commission

condom i ferched *eg* **condomau i ferched** female condom

condom *eg* **condomau** condom

corbys *ell* pulses

corea Huntington *eg* Huntington's chorea

corfforaeth *eb* **corfforaethau** corporation

corfforaeth ddarlledu *eb* **corfforaethau darlledu** broadcasting corporation

corfforaeth ddarlledu addysgol *eb* **corfforaethau darlledu addysgol** educational broadcasting corporation

corfforaeth ddarlledu ysbyty *eb* **corfforaethau darlledu ysbytai** hospital broadcasting corporation

cost *eb* **costau** cost

costeffeithiolrwydd *eg* costeffectiveness

crac *eg* crack

cramp *eg* **crampiau** cramp

cred *eb* **credoau** belief

credo iechyd *eg* **credoau iechyd** health belief

crefft magu plant *be* parentcraft

crefydd *eb* religion

creulondeb meddwl *eg* mental cruelty

croesawydd *eg* **croesawyr** receptionist

croesawydd meddygfa *eg* **croesawyr meddygfa** general practice receptionist

crŵp *eg* croup

cryno ddisg *eg* **cryno ddisgiau** compact disc (CD)

cur pen *eg* headache

CVA: damwain gerebrofasgiwlar *eb* **damweiniau cerebrofasgiwlar** cerebrovascular accident

cwricwlwm *eg* **cwricwla** curriculum

cwricwlwm cenedlaethol *eg* national curriculum

cwsg *eg* sleep

cwymp *eb* **cwympiadau** fall

cwyn *eb* **cwynion** complaint

cyd-fyw *be* cohabitation *mass noun*

cydgymorth *eg* mutual aid

cydsyniad deallus *eg* informed consent

cydweithrediad *eg* cooperation

cydweithrediad rhyngadrannol *eg* intersectoral cooperation

cydymffurfiad *eg* compliance

cyfaill *eg* **cyfeillion** friend

cyfathrach rywiol *eb* sexual intercourse

cyfathrebu *be* communication *mass noun*

cyfathrebu dieiriau *be* nonverbal communication

cyfathrebu torfol *be* mass communications

cyfieithydd (ar y pryd) *eg* **cyfieithwyr** interpreter

cyfle cyfartal *eg* **cyfleoedd cyfartal** equal opportunity

cyflog *eg* **cyflogau** salary

cyflogaeth *eb* employment

cyflogaeth ysbeidiol *eb* casual employment

cyflogaeth lawn-amser *eb* full-time employment

cyflogwr *eg* **cyflogwyr** employer

cyfnewid nodwyddau *be* needle exchange

cyfradd genedigaethau *eb* birth rate

cyfradd marwolaethau *eb* death rate

cyfraith *eb* law

cyfraith ryngwladol *eb* international law

cyfranogiad cleifion *eg* patient participation

cyfranogiad cymuned *eg* community participation

cyfreitheg *eb* jurisprudence

cyfrifoldeb *eg* **cyfrifoldebau** responsibility

cyfrwng rhyngweithiol *eg* **cyfryngau rhyngweithiol** interactive medium

cyfrwng torfol *eg* **cyfryngau torfol** mass medium

cyfryngau *ell* media

cyfryngwr *eg* **cyfryngwyr** intermediary

cyfundrefn addysg *eb* **cyfundrefnau addysg** educational system

cyfundrefn economi *eb* **cyfundrefnau economi** economic system

cyfunrywiol *ans* homosexual

cyfunrywioldeb *eg* homosexuality

cyfunrywiolion *ell* homosexuals

cyfweliad *eg* **cyfweliadau** interview

cyffur *eg* **cyffuriau** drug

cyffur lleddfu poen *eg* **cyffuriau lleddfu poen** painkiller

cynghori *be* counselling

cynghori ar eneteg *be* genetic counselling

cynghori ar alcohol *be* alcohol counselling

cynghori ar gaethiwed *be* addiction counselling

cynghori ar gyffuriau *be* drug counselling

cynghori ar ryw *be* sexual counselling

cynghori ar stopio ysmygu *be* smoking cessation counselling

cynghori mewn profedigaeth *be* bereavement counselling

cynghori yn yr ysgol *be* school counselling

cynghorwr *eg* **cynghorwyr** counsellor

cynghorwr disgyblion *eg* **cynghorwyr disgyblion** pupil counsellor

cynghrair iach *eb* **cynghreiriau iach** healthy alliance

cyngor cleifion *eg* **cynghorau cleifion** patients' council

cyngor iechyd cymuned *eg* **cynghorau iechyd cymuned** community health council

cyngor y gweithwyr *eg* **cynghorau gweithwyr** workers' council

cyngres *eb* **cyngresau** congress

cyhoeddusrwydd *eg* publicity

cylch ffôn *eg* **cylchoedd ffôn** telephone circle

cyllid *eg* finance

cyllideb *eb* **cyllidebau** budget *n*

cymathu gwybodaeth *be* information assimilation

cymdeithas (=cylch proffesiynol) *eb* **cymdeithasau** association

cymdeithas (=clwb, cymuned) *eb* **cymdeithasau** society

cymdeithas broffesiynol *eb* **cymdeithasau proffesiynol** professional association

cymdeithas cleifion *eb* **cymdeithasau cleifion** patients' association

cymdeithaseg *eb* sociology

cymdeithasoli *be* socialization *mass noun*

cymeriad *eg* character

cymeriant alcohol *eg* alcohol consumption

cymeriant cyffuriau *eg* drug consumption

cymeriant meddyginiaethau *eg* medicament consumption

cymhariaeth ryngwladol *eb* **cymariaethau rhyngwladol** international comparison

cymhlethdod beichiogrwydd *eg* **cymhlethdodau beichiogrwydd** pregnancy complication

cymorth bydi *eg* buddying

cymorth cymdeithasol *eg* social support

cymorth cyntaf *eg* first aid

cymorth seicogymdeithasol *eg* psychosocial support

cynbrofi *be* pretesting

cynhadledd *eb* **cynadleddau** conference

cynllun *eg* **cynlluniau** layout

cynllunio (=dylunio) *be* lay out

cynllunio (ar gyfer gofal etc) *be* planning

cynllunio cymdeithasol *be* social planning

cynllunio ar gyfer trychinebau *be* disaster planning

cynllunio iechyd *be* health planning

cynllunio iechyd rhyngwladol *be* international health planning

cynllunio teulu *be* family planning

cynnal ymddygiad iechyd *eg* health behaviour maintenance

cynnyrch grawnfwyd *eg* **cynhyrchion grawnfwyd** cereal product

cynnyrch llaeth *eg* **cynhyrchion llaeth** milk product

cynorthwyydd deintyddol *eg* **cynorthwywyr deintyddol** dental assistant

cynorthwyydd fferyllfa *eg* **cynorthwywyr fferyllfa** pharmacy assistant

cyn-ymddeol *ans* pre-retirement

cystadlu *be* competition *mass noun*

cystitis *eg* cystitis

cysylltiadau cyhoeddus *ell* public relations (PR)

cysyniad *eg* **cysyniadau** concept

cywarch (am y cyffur) *eg* grass

cywerthedd cymwysterau *eg* qualification equivalence

CH

chwalfa nerfau *eb* **chwalfeydd nerfau** nervous breakdown

chwarae rhan *be* role-play

chwaraeon *ell* sport

chwiplach *eg* whiplash

D

da pluog *ell* poultry

dadansoddiad *eg* **dadansoddiadau** analysis

dadansoddiad budd-gost *eg* **dadansoddiadau budd-gost** cost-benefit analysis

dadwenwyno *be* detoxification *mass noun*

daearyddiaeth *eb* geography

dafaden *eb* **dafadennau** wart

dafaden wenerol *eb* **dafadennau gwenerol** genital wart

dallineb *eg* blindness

dallineb lliw *eg* colour blindness

damwain *eb* **damweiniau** accident

damwain ddŵr *eb* **damweiniau dŵr** water accident

damwain drafnidiaeth *eb* **damweiniau trafnidiaeth** traffic accident

damwain gardiofasgiwlar *eb* **damweiniau cardiofasgiwlar** cardiovascular accident

damwain gerebrofasgiwlar *eb* **damweiniau cerebrofasgiwlar** cerebrovascular accident (CVA)

damwain yn y cartref *eb* **damweiniau yn y cartref** domestic accident

dangosydd iechyd *eg* **dangosyddion iechyd** health indicator

darganfyddiad *eg* **darganfyddiadau** discovery

darlith *eb* **darlithoedd** lecture

darlithydd *eg* **darlithwyr** lecturer

darlledu addysgol *be* educational broadcasting

darllenadwyedd *eg* readability

darpar riant *ell* **darpar rieni** expectant parent

datblygiad *eg* **datblygiadau** development

datblygiad corfforol *eg* physical development

datblygiad personol *eg* personal development

datblygiad plant *eg* child development

datblygu cymunedol *be* community development

datblygu deunydd ***be*** material development

datblygu deunyddiau dysgu ***be*** teaching material development

datblygu gyrfa ***be*** career development

datblygu methodoleg ***be*** methodology development

dawnsio ***be*** dancing

dealltwriaeth ***eb*** understanding

deallusrwydd ***eg*** intelligence

deddfwriaeth ***eb*** legislation

deddfwriaeth cyflogaeth ***eb*** employment legislation

deddfwriaeth iechyd ***eb*** health legislation

defnyddio baco ***be*** tobacco use

defnyddio nodwyddau ***be*** needle use

defnyddiwr (sy'n prynu nwyddau neu wasanaeth) ***eg*** **defnyddwyr** consumer

defnyddiwr alcohol ***eg*** **defnyddwyr alcohol** alcohol user

defnyddiwr cyffuriau ***eg*** **defnyddwyr cyffuriau** drug user

deilliant claf-gyfryngol ***eg*** **deilliannau claf-gyfryngol** patient mediated outcome

deilliant iechyd ***eg*** **deilliannau iechyd** health outcome

deintydd ***eg*** **deintyddion** dentist

deintyddiaeth ***eb*** dentistry

delwedd corff ***eb*** body image

dementia ***eg*** dementia

demograffeg ***eb*** demography

derbyn i ysbyty ***be*** hospital admission

dermatitis ***eg*** dermatitis

deunydd cwrs ***eg*** **deunyddiau cwrs** course material

deunydd di-brint ***eg*** **deunyddiau di-brint** non-print material

deunydd dysgu ***eg*** **deunyddiau dysgu** teaching material

deunydd gwybodaeth brintiedig ***eg*** **deunyddiau gwybodaeth brintiedig** printed information material

deunyddiau clyweled ***ell*** audiovisual materials

deurywolion ***ell*** bisexuals

deurywioldeb ***eg*** bisexuality

dewis y claf ***eg*** patient choice

diabetes ***eg*** diabetes

diaffram ***eg*** **diafframau** diaphragm

diagnosis ***eg*** diagnosis

dibynadwyedd ***eg*** reliability

dibyniaeth ar alcohol ***eb*** alcohol dependency

dibyniaeth ar feddyginiaethau ***eb*** medicament dependency

dibyniaeth ar gyffuriau ***eb*** drug dependency

dibyniaeth ar nicotin ***eb*** nicotine dependency

didacteg ***eb*** didactics

diet ***eg*** **dietau** diet

dietegydd ***eg*** **dietegwyr** dieticians

difaterwch ***eg*** apathy

difftheria ***eg*** diphtheria

diffyg fitaminau *eg* vitamin deficiency

diffyg imiwnedd *eg* immunodeficiency

diffyg maeth *eg* nutritional deficiency

diffyg y tiwb nerfol *eg* **diffygion y tiwb nerfol** neural tube defect

digartrefedd *eg* homelessness

digwyddiad bywyd *eg* **digwyddiadau bywyd** life event

dilyn diet *be* dieting

dilysrwydd *eg* validity

dinas iach *eb* **dinasoedd iach** healthy city

dioddefwr *eg* **dioddefwyr** victim

dioddefwr rhyfel *eg* **dioddefwyr rhyfel** war victim

diogelwch *eg* safety

diogelwch ar y ffyrdd *eg* road safety

diogelwch diwydiannol *eg* industrial safety

diogelwch galwedigaethol *eg* occupational safety

diogelwch personol *eg* personal safety

diogelwch rhag tân *eg* fire safety

diogelwch yn y cartref *eg* home safety

discotéc *eg* **discoteciau** discotheque

disgrifiad swydd *eg* **disgrifiadau swydd** job description

disgwyliad oes *eg* life expectancy

disgybl *eg* **disgyblion** pupil

diswyddo dros dro *be* layoff

diweirdeb *eg* celibacy

diweithdra *eg* unemployment

diweithdra tymor hir *eg* long-term unemployment

diweithdra'r ifainc *eg* youth unemployment

diwydiant *eg* **diwydiannau** industry

diwydiant adeiladu *eg* construction industry

diwydiant amaethyddol *eg* agricultural industry

diwydiant arlwyo *eg* catering industry

diwydiant bwyd *eg* food industry

diwydiant cemegau *eg* chemical industry

diwydiant cludiant *eg* transport industry

diwydiant dillad *eg* clothing industry

diwydiant graddfa fechan *eg* small scale industry

diwydiant gwasanaethu *eg* **diwydiannau gwasanaethu** service industry

diwydiant gweithgynhyrchu *eg* manufacturing industry

diwydiant hamdden *eg* leisure industry

diwydiant pysgota *eg* fishing industry

diwydiant telathrebu *eg* telecommunications industry

diwydiant ymwelwyr *eg* tourist industry

diwylliant *eg* **diwylliannau** culture

dolur rhydd *eg* diarrhoea

dopio *be* doping

dull *eg* **dulliau** method

dull atal cenhedlu *eg* **dulliau atal cenhedlu** contraceptive

dull Delphi *eg* Delphi method

dull dysgu *eg* **dulliau dysgu** teaching method

dull ymchwil *eg* **dulliau ymchwil** research method

dŵr *eg* water

dyfais ddiogelwch *eb* **dyfeisiau diogelwch** safety device

dyfais fewngroth *eb* **dyfeisiau mewngroth** intrauterine device (IUD)

dyfodol *eg* future

dylanwad allanol newidiol *eg* **dylanwadau allanol newidiol** variable external influence

dylunio *be* design

dyn *eg* **dynion** man

dyn hoyw *eg* **dynion hoyw** gay man

dynameg grŵp *eb* group dynamics

dysgu agored *be* open learning

dysgu o bell *be* distance learning

dysgu trwy brofiad *be* experiential learning

dyslecsia *eg* dyslexia

dystroffi'r cyhyrau *eg* muscular dystrophy

E

e-bost *eg* e-mail

eclampsia *eg* eclampsia

economeg *eb* economics

economeg iechyd *eb* health economics

ecsema *eg* eczema

ecstasi *eg* ecstasy

effaith *eg/b* **effeithiau** effect

effeithiolrwydd *eg* effectiveness

effeithlonedd *eg* efficacy

effeithlonrwydd *eg* efficiency

eglurder *eg* legibility

eiriolaeth *eb* advocacy

eiriolwr ar ran cleifion *eg* **eiriolwyr ar ran cleifion** patient advocate

eithrio cymdeithasol *be* social exclusion

elfen hybrin *eb* **elfennau hybrin** trace element

elfen maeth *eb* **elfennau maeth** nutrition component

emffysema *eg* emphysema

emosiwn *eg* **emosiynau** emotion

enceffalomyopathi myalgig *eg* myalgic encephalomyopathy

eniwresis *eg* enuresis

ENT: anhwylderau'r glust trwyn a gwddf *ell* ear nose and throat disorders

enwaediad *eg* circumcision

enwaediad merched *eg* female circumcision

epidemioleg *eb* epidemiology

epilepsi *eg* epilepsy

ergonomeg *eb* ergonomics

erthyliad *eg* **erthyliadau** abortion

erthyliad naturiol *eg* **erthyliadau naturiol** miscarriage

ewthanasia *eg* euthanasia

F

fandaliaeth *eb* vandalism

farisela *eg* varicella

fasectomi *eg* vasectomy

fitamin *eg* **fitaminau** vitamin

fitiligo *eg* vitiligo

FF

ffactor risg *eb* **ffactorau risg** risk factor

ffair wybodaeth *eb* **ffeiriau gwybodaeth** information fair

ffemidon *eg* **ffemidonau** femidon

fferyllfa *eb* **fferyllfeydd** pharmacy

fferylliaeth *eb* pharmacy

fferyllydd *eg* **fferyllwyr** pharmacist

ffibr *eg* **ffibrau** fibre

ffisigwr *eg* **ffisigwyr** physician

ffisioleg *eb* physiology

ffisiotherapi *eg* physiotherapy

ffisiotherapydd *eb* **ffisiotherapyddion** physiotherapist

ffliw *eg* influenza

fflworideiddio *be* fluoridation *mass noun*

ffoadur *eg* **ffoaduriaid** refugee

ffolad *eg* **ffoladau** folate

ffordd o fyw *eb* lifestyle

ffreutur *eb* **ffreuturau** canteen

ffrwydryn *eg* **ffrwydron** explosive

ffrwyth *eg* **ffrwythau** fruit

ffrwythloniad in vitro *eg* in vitro fertilization

ffydd *eg* faith

G

galar *eg* grief

gamblo *be* gambling

gamblwr *eg* **gamblwyr** gambler

gêm *eb* **gemau** games

genedigaeth *eb* **genedigaethau** birth

genedigaeth gynamserol *eb* **genedigaethau cynamserol** premature birth

genedigaeth luosog *eb* **genedigaethau lluosog** multiple birth

geni plentyn *be* childbirth

gerontoleg *eb* gerontology

glasoed *eg* puberty

glawcoma *eg* glaucoma

glwten *eg* gluten

goddefgarwch *eg* tolerance

gofal bugeiliol *eg* pastoral care

gofal cleifion allanol *eg* outpatient care

gofal cyn-geni *eg* antenatal care

gofal dydd *eg* day care

gofal i bobl anabl *eg* disability care

gofal iechyd *eg* health care

gofal iechyd cychwynnol *eg* primary health care

gofal iechyd deintyddol *eg* dental health care

gofal iechyd deintyddol plant *eg* child dental health care

gofal iechyd galwedigaethol *eg* occupational health care

gofal iechyd lleyg *eg* lay health care

gofal iechyd meddwl *eg* mental health care

gofal iechyd meddwl yn y gymuned *eg* community mental health care

gofal lliniarol *eg* palliative care

gofal meddygol brys *eg* emergency medical care

gofal ôl-eni *eg* postnatal care

gofal prawf *eg* probation care

gofal preswyl *eg* residential care

gofal seiciatrig *eg* psychiatric care

gofal terfynol *eg* terminal care

gofal teulu *eg* family care

gofal yn y cartref *eg* home care

gofal yr henoed *be* elderly care

gofalydd *eg* **gofalwyr** carer

gofalydd ysbrydol *eg* **gofalwyr ysbrydol** spiritual caregiver

gofyniad addysgol *eg* **gofynion addysgol** educational requirement

gofyniad cymwysterau *eg* **gofynion cymwysterau** qualification requirement

gogwydd cwsmeriaid *eg* customer orientation

gogwydd masnachol *eg* commercial orientation

goitr *eg* goitre

gonorea *eg* gonorrhea

gorbwysedd (am bwysedd gwaed) *eg* hypertension

gorbwysedd (am berson dros bwysau) *eg* overweight

gordewdra *eg* obesity

gorfywiogrwydd *eg* hyperactivity

gorludded meddwl tymor byr *eg* short term mental exhaustion

gorthyroidedd *eg* hyperthyroidism

goruchwyliaeth *eb* supervision

goruwchgenedlaethol *ans* supernational

gosod mewn ysbyty *be* hospitalisation

graddio swydd *be* job rating

grŵp *eg* **grwpiau** group

grŵp anodd i'w gyrraedd *eg* **grwpiau anodd i'w cyrraedd** hard-to-reach group

grŵp fitaminau A *eg* vitamin group A

grŵp fitaminau B *eg* vitamin group B

grŵp fitaminau C *eg* vitamin group C

grŵp fitaminau D *eg* vitamin group D

grŵp fitaminau E *eg* vitamin group E

grŵp fitaminau K *eg* vitamin group K

grŵp hunangymorth *eg* **grwpiau hunangymorth** self-help group

grŵp rheolydd *eg* **grwpiau rheolydd** control group

grŵp mewn perygl *eg* **grwpiau mewn perygl** at risk group

grŵp mewn perygl *eg* **grwpiau mewn perygl** risk group

grŵp targed *eg* **grwpiau targed** target group

grŵp trafod *eg* **grwpiau trafod** discussion group

grwpiau du ac ethnig lleiafrifol *ell* black and minority ethnic groups

gŵr gweddw *eg* **gwŷr gweddw** widower

gwahaniaethu *be* discrimination *mass noun*

gwaith ar y stryd *eg* streetwork

gwaith cymdeithasol *eg* social work

gwaith cymdeithasol yn y gymuned *eg* community social work

gwaith estyn allan *eg* outreach work

gwaith gwirfoddol *eg* voluntary work

gwaith gyda'r digartref *eg* homeless work

gwaith ieuenctid *eg* youth work

gwaith noddfa *eg* refuge work

gwaith oedolion *eg* adult work

gwaith parôl *eg* parole work

gwaith prawf *eg* probation work

gwaith rhan-amser *eg* part-time employment

gwaith seicogymdeithasol *eg* psychosocial work

gwaith seicolegol *eg* psychological work

gwaith tîm *eg* teamwork

gwaredu gwastraff *be* waste disposal

gwasanaeth cyfarwyddo plant *eg* **gwasanaethau cyfarwyddo plant** child guidance service

gwasanaeth gwybodaeth iechyd *eg* **gwasanaethau gwybodaeth iechyd** health information service

gwasanaeth iechyd *eg* **gwasanaethau iechyd** health service

gwasanaeth iechyd plant *eg* **gwasanaethau iechyd plant** child health service

gwasanaeth iechyd ysgolion *eg* **gwasanaethau iechyd ysgolion** school health service

gwasanaeth i'r caeth *eg* **gwasanaethau i'r caeth** addiction service

gwasanaeth post electronig *eg* **gwasanaethau post electronig** electronic mailservice

gwasanaeth ymwelwyr iechyd *eg* **gwasanaethau ymwelwyr iechyd** health visiting

gwasanaethau cymdeithasol *ell* social services

gwasanaethau gwybodaeth a chyngor yn y gymuned *ell* community information and advice services

gwasanaethau iechyd mamau a phlant *ell* maternal and child health services

gwasanaethau iechyd meddwl *ell* mental health services

gwasanaethau mamau a phlant *ell* maternal and child services

gwasg *eb* **gweisg** press *n*

gwastraff *eg* waste *n*

gwastraff tŷ *eg* household waste

gwastraff ymbelydrol *eg* radioactive waste

gwastraff ysbyty *eg* hospital waste

gweithdrefn *eb* **gweithdrefnau** procedure

gweithdy *eg* **gweithdai** workshop

gweithdy cyflog isel *eg* **gweithdai cyflog isel** sweatshop

gweithgaredd corfforol *eg* **gweithgareddau corfforol** physical activity

gweithgaredd hamdden *eg* **gweithgareddau hamdden** leisure activity

gweithio sifftiau *be* shift working

gweithiwr *eg* **gweithwyr** employee

gweithiwr cymdeithasol *eg* **gweithwyr cymdeithasol** social worker

gweithiwr gofal geriatrig *eg* **gweithwyr gofal geriatrig** geriatric care worker

gweithiwr gofal teulu *eg* **gweithwyr gofal teulu** family care worker

gweithiwr ifanc *eg* **gweithwyr ifanc** young worker

gweithiwr proffesiynol addysg iechyd *eg* **gweithwyr proffesiynol addysg iechyd** health education professional

gweithiwr proffesiynol gofal iechyd *eg* **gweithwyr proffesiynol gofal iechyd** health care professional

gweithiwr proffesiynol gofal iechyd meddwl yn y gymuned *eg* **gweithwyr proffesiynol gofal iechyd meddwl yn y gymuned** community mental health care professional

gweithiwr proffesiynol hybu iechyd *eg* **gweithwyr proffesiynol hybu iechyd** health promotion professional

gweithiwr rhyw *eg* **gweithwyr rhyw** sex worker

gweithrediad gwybyddol *eg* **gweithrediadau gwybyddol** cognitive function

gweithrediad synhwyraidd *eg* **gweithrediadau synhwyraidd** sensory function

gweithredu (=rhoi ar waith) *be* implementation *mass noun*

gweithredu cymunedol *be* community action

gwenwyn bwyd *eg* food poisoning

gwerthuso *be* evaluation *mass noun*

gwerthuso swydd *be* job evaluation

gwirfoddolwr *eg* **gwirfoddolwyr** volunteer

gwleidydd *eg* **gwleidyddion** politician

gwlychu gwely *be* bedwetting

gwraig *eb* **gwragedd** woman

gwraig feichiog *eb* **gwragedd beichiog** pregnant woman

gwraig weddw *eb* **gwragedd gweddw** widow

gwrthodwr ysgol *eg* **gwrthodwyr ysgol** school dropout

gwryw *ans* male

gwybodaeth (=dealltwriaeth o bwnc, swm yr hyn a ddysgwyd) *eb* knowledge

gwybodaeth (=rhywbeth a hysbysir i rywun) *eb* information

gwybodaeth i gleifion *eb* patient information

gwybodaeth brintiedig *eb* printed information

gwybodaeth gymunedol *eb* community information

gwybodaeth i grwpiau *eb* group information

gwybodaeth lafar *eb* oral information

gwybodaeth wedi'i phersonoli *eb* personalised information

gwybyddiaeth *eb* cognition

gwyddor ymddygiad *eb* **gwyddorau ymddygiad** behavioural science

gwyliadwriaeth *eb* surveillance

gwyliau *ell* holidays

gwythïen faricos *eb* **gwythiennau faricos** varicose vein

gynaecoleg *eb* gynaecology

H

haearn *eg* iron

haemoffilia *eg* haemophilia

haemoroid *eg* **haemoroidau** haemorrhoid

haint a drosglwyddir yn rhywiol *eb* **heintiau a drosglwyddir yn rhywiol** sexually transmitted infection (STI)

haint ffwngaidd *eb* **heintiau ffwngaidd** fungal infection

haint y bledren *eb* **heintiau'r bledren** bladder infection

hanes *eg* history

hap-brawf rheoledig *eg* **hapbrofion rheoledig** randomised controlled trial (RCT)

hapwiriad *eg* **hapwiriadau** random check

hashish *eg* hashish

haul *eg* sun

hawliau cleifion *ell* patients' rights

heddlu *eg* police

heintiad HIV *eg* **heintiadau HIV** HIV infection

heintiad y llwybr wrinol *eg* urinary tract infection

heneiddio *be* ageing

henoed *eg* elderly people

hepatitis A *eg* hepatitis A

hepatitis B *eg* hepatitis B

hepatitis C *eg* hepatitis C

heroin *eg* heroin

herpes *eg* herpes

herpes gwenerol *eg* genital herpes

herpes simplecs *eg* herpes simplex

herpes soster *eg* herpes zoster

heterorywioldeb *eg* heterosexuality

heterorywiolion *ell* heterosexuals

HFA: iechyd i bawb *eg* health for all

hinsawdd *eb* climate

hirolwg *eb* long-sightedness

holiadur *eg* **holiaduron** questionnaire

homeopathi *eg* homeopathy

hormon *eg* **hormonau** hormone

hospis *eg* **hospisau** hospice

hunanarchwilio ***be*** self-examination *mass noun*

hunanbarch ***eg*** self-esteem

hunanddelwedd ***eb*** self-image

hunanfeddyginiaethu ***be*** self-medication *mass noun*

hunangyflogaeth ***eb*** self-employment

hunangymorth ***eg*** self-help

hunangysyniad ***eg*** self-concept

hunanladdiad ***eg*** **hunanladdiadau** suicide

hunanlurguniad ***eg*** **hunanlurguniadau** automutilation

hunan-niwed ***eg*** self-harm

hunanofal ***eg*** self-care

hunanreolaeth ***eb*** self-control

hyblygrwydd ***eg*** adaptability

hybu iechyd ***be*** health promotion

hybu iechyd galwedigaethol ***be*** occupational health promotion

hybu iechyd meddwl ***be*** mental health promotion

hybu iechyd rhywiol ***eg*** sexual health promotion

hybu iechyd y geg ***be*** oral health promotion

hybu iechyd yn y man gwaith ***be*** workplace health promotion

hybu iechyd ysgolion ***be*** school health promotion

hydroceffalws ***eg*** hydrocephalus

hyfforddiant codi pwysau ***eg*** weight training

hyfforddiant galwedigaethol ***eg*** vocational training

hyfforddiant mewn swydd ***eg*** in-service training

hyfforddiant pendantrwydd ***eg*** assertiveness training

hyfforddiant proffesiynol ***eg*** professional training

hylendid ***eg*** hygiene

hylendid bwyd ***eg*** food hygiene

hylendid personol ***eg*** personal hygiene

hylenydd deintyddol ***eg*** **hylenyddion deintyddol** dental hygienist

hypnosis ***eg*** hypnosis

hypnotherapi ***eg*** hypnotherapy

hypocondria ***eg*** hypochondria

hysbysebu ***be*** advertising

I

iaith ***eb*** **ieithoedd** language

iaith y corff ***eb*** body language

iawnderau dynol ***ell*** human rights

iechyd ***eg*** health

iechyd a diogelwch galwedigaethol occupational health and safety

iechyd cymuned ***eg*** community health

iechyd da ***eg*** wellness

iechyd deintyddol ***eg*** dental health

iechyd galwedigaethol ***eg*** occupational health

iechyd i bawb ***eg*** health for all (HFA)

iechyd meddwl ***eg*** mental health

iechyd rhywiol ***eg*** sexual health

iechyd y cyhoedd ***eg*** public health

iechyd y geg ***eg*** oral health

iechyd yn yr ysgol ***eb*** school health

iechyd yr amgylchedd ***eg*** environmental health

ifanc anodd i'w cyrraedd ***ell*** hard-to-reach young

ileostomi ***eg*** ileostomy

imiwneiddio ***be*** immunization *mass noun*

India'r Gorllewin ***eb*** West Indies

insomnia ***eg*** insomnia

isbwysedd ***eg*** hypotension

iselder ***eg*** depression

iselder ar ôl y geni ***eg*** postnatal depression

iselydd ***eg*** **iselyddion** depressant

isthyroidedd ***eg*** hypothyroidism

IUD: dyfais fewngroth ***eb*** **dyfeisiau mewngroth** intrauterine device

L

labelu ***be*** labelling

leprosi ***eg*** leprosy

lesbiad ***eb*** **lesbiaid** lesbian

lewcemia ***eg*** leukaemia

lipid ***eg*** **lipidau** lipid

lipoprotein dwysedd isel ***eg*** **lipoproteinau dwysedd isel** low density lipoprotein

lipoprotein dwysedd uchel ***eg*** **lipoproteinau dwysedd uchel** high density lipoprotein

locws rheoli ***eg*** locus of control

loncian ***be*** jogging

LSD ***eg*** LSD

lwpws ***eg*** lupus

LL

llau pen ***ell*** head lice

llawfeddygaeth ***eb*** surgery

llawfeddygaeth blastig ***eb*** plastic surgery

lle chwarae ***eg*** **llefydd chwarae** playground

lledaenu gwybodaeth ***be*** information dissemination

lleihau niwed ***be*** harm reductio

llencyndod ***eg*** adolescence

lleol ***ans*** local

llesgedd ***eg*** listlessness

llety cysgodol ***eg*** sheltered accommodation

llid y deintgig ***eg*** gingivitis

llid y gyfbilen ***eg*** conjunctivitis

llid yr ymennydd ***eg*** meningitis

llinell frys ***eb*** **llinellau brys** telephone hotline

llinell gymorth ***eb*** **llinellau cymorth** helpline

llosg ***eg*** **llosgiadau** burn

llosg haul ***eg*** sunburn

llosgach *eg* incest

lludded jet *eg* jet lag

lludded meddwl tymor hir *eg* long-term mental exhaustion

lluoedd arfog *ell* armed services

llurguniad genitalia *eg* **llurguniadau genitalia** genital mutilation

llyfr *eg* **llyfrau** book *n*

llyfr plant *eg* **llyfrau plant** children's book

llyfryn *eg* **llyfrynnau** booklet

llygaid croes *ell* squint

llygredd *eg* pollution

llygredd dŵr *eg* water pollution

llygredd aer *eg* air pollution

llygredd amaethyddol *eg* agricultural pollution

llygredd diwydiannol *eg* industrial pollution

llygredd pridd *eg* soil pollution

llygredd sŵn *eg* noise pollution

llygredd ymbelydredd *eg* radiation pollution

llyngyr *ell* worms

llysdeulu *eg* **llysdeuluoedd** step family

llysieuaeth *eb* vegetarianism

llysieuaeth feddygol *eb* herbalism

llysieuyn *eg* **llysiau** vegetable

llywodraeth *eg* **llywodraethau** government

llywodraeth ganol *eb* central government

llywodraeth leol *eb* local government

llywodraeth ranbarthol *eb* **llywodraethau rhanbarthol** regional government

mabwysiadu *be* adoption *mass noun*

madarch hud *ell* magic mushrooms

madarch rhithbeiriol *ell* hallucinogenic mushrooms

maethegwr *eg* **maethegwyr** nutritionist

maethiad *eg* nutrition

maethiad babanod *eg* infant nutrition

maethiad llysieuol *eg* vegetarian nutrition

maethiad organig *eg* organic nutrition

maethiad plant *eg* child nutrition

magu plant *be* parenting

malaria *eg* malaria

mam *eb* **mamau** mother

mam yn ei harddegau *eb* **mamau yn eu harddegau** teenage mother

man aros *eg* **mannau aros** waiting area

man gwaith *eg* **mannau gwaith** workplace

manyleb swydd *eb* **manylebau swyddi** job specification

marchnad wybodaeth *eb* **marchnadoedd gwybodaeth** information market

marchnata ***be*** marketing

marchnata cymdeithasol ***be*** social marketing

mariwana ***eg*** marijuana

marw-enedigaeth ***eb*** stillbirth

marwolaeth ***eb*** death

marwolaeth yn y crud ***eb*** cot death

marwoldeb ***eg*** mortality

masnachu ***be*** trading

mastectomi ***eg*** mastectomy

mastitis ***eg*** mastitis

mastyrbio ***be*** masturbation *mass noun*

mater cymdeithasol ***eg*** **materion cymdeithasol** social issue

MBD: niwed minimol i'r ymennydd ***eg*** minimal brain damage

MDMA: methylenediocsymethamffetamin ***eg*** methylenedioxymethamphetamine

ME ***eg*** ME

meddalwedd ***eg/b*** software

meddyg ***eg*** **meddygon** doctor

meddyg cwmni ***eg*** **meddygon cwmni** company doctor

meddyg teulu ***eg*** **meddygon teulu** general practitioner

meddygaeth ***eb*** medicine

meddygaeth amgen ***eb*** alternative medicine

meddygaeth chwaraeon ***eb*** sports medicine

meddygaeth gyflenwol ***eb*** complementary medicine

meddygaeth teulu ***eb*** general practice

meigryn ***eg*** migraine

melanoma ***eg*** melanoma

melanoma malaen ***eg*** malign melanoma

melysion ***ell*** sweets

merch ***eb*** **merched** girl

mesur ***eg*** **mesuriadau** measurement

mesur diogelwch ***eg*** **mesurau diogelwch** safety measure

metaddadansoddiad ***eg*** meta-analysis

methadon ***eg*** methadone

methodoleg grŵp ffocws ***eb*** focus group methodology

methodoleg gwybodaeth ***eb*** information methodology

methylenediocsymethamffetamin ***eg*** methylenedioxymethamphetamine (MDMA)

mewnfudo ***be*** immigration *mass noun*

mislif ***eg*** menstruation

moddion ***eg*** medicine

model ***eg*** **modelau** model

model arddangos ***eg*** **modelau arddangos** demonstration model

model credo iechyd ***eg*** **modelau credo iechyd** health belief model

model hybu iechyd ***eg*** **modelau hybu iechyd** health promotion model

moelni ***eg*** baldness

moeseg ***eb*** ethics

moeseg feddygol ***eb*** medical ethics

moeseg iechyd ***eb*** health ethics

moesoldeb *eg* morality

monitro *be* monitoring

morbidrwydd *eg* morbidity

mudiad gwirfoddol *eg* **mudiadau gwirfoddol** voluntary organisation

mudo *be* migration *mass noun*

mudwr *eg* **mudwyr** migrant *n*

mwyn *eg* **mwynau** mineral

myalgia *eg* myalgia

myasthenia *eg* myasthenia

mycosis *eg* mycosis

myfyriwr *eg* **myfyrwyr** student

mynediad i bobl anabl *eg* disability access

N

narcolepsi *eg* narcolepsy

neges iechyd *eg* **negeseuon iechyd** health message

newid agwedd *eg* attitudinal change

newid ymddygiad *eg* behavioural change

newyddbeth *eg* **newyddbethau** innovation

newyddiadurwr *eg* **newyddiadurwyr** journalist

niwed cardiofasgiwlar *eg* cardiovascular insult

niwed i'r ymennydd *eg* brain damage

niwed minimol i'r ymennydd *eg* minimal brain damage (MBD)

niwmonia *eg* pneumonia

nod dysgu *eg* **nodau dysgu** learning goal

nofio *be* swimming

noson rieni *eb* **nosweithiau rhieni** parents' evening

NSU: wrethritis amhenodol *eg* non-specific urethritis

nyrs *eb* **nyrsys** nurse

nyrs ardal *eb* **nyrsys ardal** district nurse

nyrs gynorthwyol *eb* **nyrsys cynorthwyol** nursing auxiliary

nyrs iechyd galwedigaethol *eb* **nyrsys iechyd galwedigaethol** occupational health nurse

nyrsio *be* nursing

nyrsio ardal *be* district nursing

nyrsio iechyd meddwl yn y gymuned *be* community mental health nursing

nyrsio yn y gymuned *be* community nursing

O

oedolyn *eg* **oedolion** adult

oedolyn ifainc *eg* **oedolion ifainc** young adult

oedrannus *ans* aged

oerni rhywiol *eg* frigidity

offer diogelwch *ell* safety equipment

offer i bobl anabl *ell* disability equipment

ofn *eg* fear

ofn methu *eg* fear of failure

ôl-ofal *eg* aftercare

osgo *eg* posture

oson *eg* ozone

osteopathi *eg* osteopathy

osteoporosis *eg* osteoporosis

P

paediatreg *eb* pediatrics

paedoffilia *eg* paedophilia

parafeddyg *eg* **parafeddygon** paramedic

parahunanladdiad *eg* **parahunanladdiadau** parasuicide

paratoi bwyd *be* food preparation

parlys *eg* paralysis

parlys cerebrol *eg* cerebral palsy

partner *eg* **partneriaid** partner

partneriaeth *eb* partnership

partneriaeth hoyw *eb* **partneriaethau hoyw** gay partnership

partneriaeth un-rhyw *eb* **partneriaethau un-rhyw** same-sex partnership

pedagogeg *eb* pedagogy

pell-welediad *eg* far-sightedness

pendantrwydd *eg* assertiveness

penderfynu *be* decision making

person â dementia *eg* **pobl â dementia** person with dementia

person ag anableddau *eg* **pobl ag anableddau** person with disabilities

person ag anableddau clyw *eg* **pobl ag anableddau clyw** person with hearing disabilities

person ag anableddau corfforol *eg* **pobl ag anableddau corfforol** person with physical disabilities

person ag anableddau dysgu *eg* **pobl ag anableddau dysgu** person with learning disabilities

person ag anableddau golwg *eg* **pobl ag anableddau golwg** person with visual disabilities

person ag anableddau seiciatrig *eg* **pobl ag anableddau seiciatrig** person with psychiatric disabilities

person ag anhwylderau meddwl *eg* **pobl ag anhwylderau meddwl** person with mental disorders

person anabl *eg* **pobl anabl** incapacitated person

person caeth i gyffuriau *eg* **pobl gaeth i gyffuriau** drug addict

person canol oed *eg* **pobl ganol oed** middle aged person

person dall *eg* **pobl ddall** blind person

person difreintiedig *eg* **pobl ddifreintiedig** underprivileged person

person digartref *eg* **pobl ddigartref** homeless person

person di-waith *eg* **pobl ddi-waith** unemployed person

person di-waith tymor hir *eg* **pobl ddi-waith tymor hir** long-term unemployed person

person hen iawn *eg* **pobl hen iawn** very old person

person HIV-bositif *eg* **pobl HIV-bositif** HIV-positive person

person hoyw *eg* **pobl hoyw** gay person

person hŷn *eg* **pobl hŷn** older person

person ifanc *eg* **pobl ifanc** adolescent *n*

person mewn profedigaeth *eg* **pobl mewn profedigaeth** bereaved person

person sengl *eg* **pobl sengl** single person

person sy'n dibynnu ar alcohol *eg* **pobl sy'n dibynnu ar alcohol** alcohol dependent *n*

person sy'n dibynnu ar gyffuriau *eg* **pobl sy'n dibynnu ar gyffuriau** drug dependant

person wedi ymddeol *eg* **pobl wedi ymddeol** retired person

personél milwrol *eg* military personnel

personél proffesiynol *eg* professional personnel

personoliaeth *eb* **personoliaethau** personality

perswâd *eg* persuasion

pertwsis *eg* pertussis

perthynas o fewn teulu *eb* family relations

perthynas *eb* **perthnasoedd** relationship

perthynas agosaf sy'n fyw *eg* surviving next of kin

perthynas bersonol *eb* personal relationship

perthynas meddyg-claf *eb* doctor-patient relationship

perthynas un-rhyw *eb* **perthnasoedd un-rhyw** same-sex relationship

pesychu *be* coughing

pilsen *eb* **pils** pill

pilsen atal cenhedlu *eb* **pils atal cenhedlu** contraceptive pill

pilsen bore wedyn *eb* **pils bore wedyn** morning after pill

plant mewnfudwyr *ell* offspring of immigrants

plasebo *eg* **plaseboau** placebo

plentyn *eg* **plant** child

plentyn â phroblemau ymddygiad *eg* **plant â phroblemau ymddygiad** child with behavioural problems

plentyn ag afiechyd cronig *eg* **plant ag afiechyd cronig** chronically ill child

plentyn ag anawsterau dysgu *eg* **plant ag anawsterau dysgu** child with learning difficulties

plentyn bach *ell* **plant bach** toddler

plentyn dan oed ysgol *eg* **plant dan oed ysgol** pre-school child

plentyn mabwysiedig *eg* **plant mabwysiedig** adopted child

plentyn wedi rhedeg i ffwrdd *eg* **plant wedi rhedeg i ffwrdd** runaway child

plentyn ysgol *eg* **plant ysgol** schoolchild

pobl sengl *ell* singles

poblogaeth sy'n heneiddio *eb* **poblogaethau sy'n heneiddio** ageing population

poen cefn *eg* **poenau cefn** back pain

poenleddfwr *eg* **poenleddfwyr** analgesic *n*

pôl piniwn *eg* **polau piniwn** opinion poll

polio *eg* polio

polisi *eg* **polisïau** policy

polisi absenoldeb oherwydd salwch *eg* **polisïau absenoldeb oherwydd salwch** sickness absence policy

polisi alcohol *eg* **polisïau alcohol** alcohol policy

polisi cyffuriau *eg* **polisïau cyffuriau** drugs policy

polisi cymdeithasol *eg* **polisïau cymdeithasol** social policy

polisi iechyd *eg* **polisïau iechyd** health policy

polisi ymchwil *eg* **polisïau ymchwil** research policy

polisi ysmygu *eg* **polisïau ysmygu** smoking policy

popiwr *eg* **popwyr** popper

poster *eg* **posteri** poster

PR: cysylltiadau cyhoeddus *ell* public relations

prawf ffrwythlondeb *eg* **profion ffrwythlondeb** fertility test

prifysgol *eb* **prifysgolion** university

Prifysgol Agored *eb* Open University

priodas *eb* **priodasau** marriage

pris *eg* **prisiau** price

prisiad *eg* **prisiadau** costing

prisio *be* pricing

problem magu plant *eb* **problemau magu plant** parenting problem

problem rywiol *eb* **problemau rhywiol** sexual problem

problem seicogymdeithasol *eb* **problemau seicogymdeithasol** psychosocial problem

problem y drydedd genhedlaeth *eb* **problemau'r drydedd genhedlaeth** third generation problem

problem ymddygiad *eb* **problemau ymddygiad** behavioural problem

problem yr ail genhedlaeth *eb* **problemau'r ail genhedlaeth** second generation problem

profedigaeth *eb* **profedigaethau** bereavement

proffesiwn *eg* **proffesiynau** profession

proffesiwn cofrestredig *eg* **proffesiynau cofrestredig** registered profession

proffil proffesiynol *eg* **proffiliau proffesiynol** professional profile

prognosis *eg* prognosis

project *eg* **projectau** project

project iechyd cymuned *eg* **projectau iechyd cymuned** community health project

project ymchwil *eg* **projectau ymchwil** research project

proses ddysgu *eb* **prosesau dysgu** learning process

proses wybyddol *eb* **prosesau gwybyddol** cognitive process

prosesu bwyd *be* food processing

prostatitis *eg* prostatitis

protein *eg* **proteinau** protein

pryder *eg* **pryderon** anxiety

putain *eb* **puteiniaid** prostitute

puteindra *eg* prostitution

pwl o banig *eg* panic attack

pwnc ysgol *eg* **pynciau ysgol** school subject

pwysau *ell* weight

pwysedd gwaed uchel *eg* high blood pressure

pwysedd gwaed isel *eg* low blood pressure

pwysau isel *ans* underweight

pydredd *eg* caries

pydredd dannedd *eg* dental caries

pysgodyn *eg* **pysgod** fish *n*

R

radio *eg* radio

recriwtio rhai i gymryd rhan *be* recruitment of participants

RCT: hap-brawf gyda rheolydd *eg* **hapbrofion gyda rheolydd** randomised controlled trial

resin *eg* resin

risg *eg* **risgiau** risk

rwbela eg rubella

RH

rhaglen *eg* **rhaglenni** programme

rhaglen ymchwil *eb* **rhaglenni ymchwil** research programme

rhanbarthol *ans* regional

rhentlanc *eg* **rhentlanciau** rent boy

rheolaeth adnoddau dynol *eb* human resource management

rheolaeth bersonol *eb* personal management

rheoli ansawdd *be* quality control

rheoli cenhedlu *be* birth control

rheoliad *eg* **rheoliadau** regulation

rheoliad bwyd *eg* **rheoliadau bwyd** food regulation

rheoliad trafnidiaeth *eg* **rheoliadau trafnidiaeth** traffic regulation

rheolwr *eg* **rheolwyr** manager

rheolwr llinell *eg* **rheolwyr llinell** line manager

rheolwyr *ell* management

rhiant *eg* **rhieni** parent

rhiant sy'n mabwysiadu *eg* **rhieni sy'n mabwysiadu** adoptive parent

rhiant sengl *eg* **rhieni sengl** single parent

rhiant yn ei arddegau *eg* **rhieni yn eu harddegau** teenage parent

rhinitis *eg* rhinitis

rhithbeiryn *eg* **rhithbeiriau** hallucinogen

rhoddwr *eg* **rhoddwyr** donor

rhoi grym *be* empowerment *mass noun*

rhwydwaith *eg* **rhwydweithiau** network *n*

rhwydwaith ardal eang *eg* **rhwydweithiau ardal eang** wide area network

rhwydwaith ardal leol *eb* **rhwydweithiau ardal leol** local area network (LAN)

rhwydwaith cyfrifiadurol *eg* **rhwydweithiau cyfrifiadurol** computer network

rhwydwaith cymdeithasol *eg* **rhwydweithiau cymdeithasol** social network

rhyddhau o ysbyty *be* hospital discharge

rhyngrwyd *eb* internet

rhyngwladol *ans* international

rhythmau circadaidd *eg* **rhythmau circadaidd** circadian rhythm

rhyw geneuol *eg* oral sex

rhyw mwy diogel *eg* safer sex

rhyw rhefrol *eg* anal sex

rhywioldeb *eg* sexuality

S

sadomasocistiaeth *eb* sadomasochism

safon addysgol *eb* **safonau addysgol** educational standard

salwch bore *eg* morning sickness

sarcoidosis *eg* sarcoidosis

sarcoma Kaposi *eg* Kaposi's sarcoma

sbastigiaeth *eb* spasticism

sector cyhoeddus *eg* public sector

sector gwirfoddol *eg* voluntary sector

sector preifat *eg* private sector

sefydliad *eg* **sefydliadau** organisation

sefydliad ddim er elw *eg* **sefydliadau ddim er elw** not for profit organisation

sefydliad di-elw *eg* **sefydliadau di-elw** non-profit organisation

sefydliad proffesiynol *eg* **sefydliadau proffesiynol** professional organisation

sefydliad rhyngwladol *eg* **sefydliadau rhyngwladol** international organisation

sefydliadeiddio *be* institutionalisation

sefyllfa addysgol *eb* **sefyllfaoedd addysgol** educational setting

seiciatreg *eb* psychiatry

seiciatregydd *eg* **seiciatregwyr** psychiatrist

seicogyffuriau *ell* psychopharmaceuticals

seicoleg *eb* psychology

seicoleg datblygiad *eb* developmental psychology

seicoleg trefniadaeth *eb* organisational psychology

seicoleg ymddygiad *eb* behavioural psychology

seicolegydd *eg* **seicolegwyr** psychologist

seicotherapi *eg* psychotherapy

seicotherapydd *eg* **seicotherapyddion** psychotherapist

sensitifedd i amalgam *eg* amalgam sensitivity

sgiliau bywyd *ell* lifeskills

sgiliau rhyngbersonol *ell* interpersonal skills

sglerosis clorog *eg* tuberous sclerosis

sglerosis gwasgaredig *eg* multiple sclerosis

sglerosis ochrol amyotroffig *eg* amyotrophic lateral sglerosis (ALS)

sgrinio *be* screening

sgrinio datblygiad *be* developmental screening

sgrinio meddygol rheolaidd *be* regular medical screening

sgwrs torri newyddion drwg *eb* **sgyrsiau torri newyddion drwg** bad news conversation

siarter cleifion *eg* **siarteri cleifion** patients' charter

siarter Ottawa *eg* Ottawa charter

siffilis *eg* syphilis

SIDS: syndrom marwolaeth sydyn babanod *eg* sudden infant death syndrome

sioc *eb* shock

siop iechyd *eb* **siopau iechyd** health shop

siwgr *eg* **siwgrau** sugar

sleid *eg* **sleidiau** slide

sodiwm *eg* sodium

soriasis *eg* psoriasis

spermleiddiad *eg* **spermleiddiaid** spermicide

spina bifida *eg* spina bifida

spondylitis ymasiol *eg* ankylosing spondylitis

starts *eg* starch

statud *eg* **statudau** statute

statws maethiad *eg* nutritional status

statws economaidd gymdeithasol *eg* social economic status

statws maeth *eg* nutritional status

STD: afiechyd a drosglwyddir yn rhywiol *eg* **afiechydon a drosglwyddir yn rhywiol** sexually transmitted disease

steroid anabolig *eg* **steroidau anabolig** anabolic steroid

STI: haint a drosglwyddir yn rhywiol *eb* **heintiau a drosglwyddir yn rhywiol** sexually transmitted infection

sticer *eg* **sticeri** sticker

stoma *eg* **stomau** stoma

stopio ysmygu *be* smoking cessation

storio bwyd *be* food storage

straen *eg* stress

straen wedi trawma *eg* post traumatic stress

strategaeth *eb* **strategaethau** strategy

strôc *eg* stroke

strwythur *eg* **strwythurau** structure

swnes *eg* **swnesau** zoonese

swp-lythyrau *ell* mailshot

swyddog cysylltiadau cyhoeddus *eg* **swyddogion cysylltiadau cyhoeddus** public relations official

swyddog gweithredol *eg* **swyddogion gweithredol** executive

swyddog gwybodaeth *eg* **swyddogion gwybodaeth** information officer

swyddog y wasg *eg* **swyddogion y wasg** press officer

sylwedd gwenwynig *eg* **sylweddau gwenwynig** poisonous substance

sylwedd tra fflamadwy *eg* **sylweddau tra fflamadwy** highly inflammable substance

symbyliad *eg* motivation

symbylydd *eg* **symbylyddion** stimulant

symposia *eg* symposia

symptom *eg* **symptomau** symptom

symudedd *eg* mobility

syndrom adeilad afiach *eg* sick building syndrome

syndrom alcohol y ffetws *eg* foetal alcohol syndrome

syndrom chwythu plwc *eg* burnout syndrome

syndrom diffyg imiwnedd caffaeledig *eg* acquired immunodeficiency syndrome

syndrom Down *eg* Down's syndrome

syndrom marwolaeth sydyn babanod *eg* sudden infant death syndrome (SIDS)

system atgenhedlu rywiol *eb* sexual reproductive system

system dreulio *eb* digestive system

system endocrin *eb* endocrine system

system gardiofasgiwlar *eb* cardiovascular system

system gyhyrysgerbydol *eb* musculoskeletal system

system gylchredol *eb* circulatory system

system imiwnedd *eb* immune system

system nerfol ganolog *eb* central nervous system

system resbiradu *eb* respiratory system

system wrinol *eb* urinary system

systemau *eb* **systemau** system

T

tad *eg* **tadau** father

tad yn ei arddegau *eg* **tadau yn eu harddegau** teenage father

tafarn *eb* **tafarnau** pub

taflen *eb* **taflenni** leaflet

taflen gyfarwyddo *eb* **taflenni cyfarwyddo** instruction leaflet

taflod hollt *eb* cleft palate

tai *ell* housing

tai afiach *ell* insanitary housing

tai i bobl anabl *ell* disability housing

tân gwyllt *eg* fireworks

tâp fideo *eg* **tapiau fideo** videotape

tâp sain *eg* **tapiau sain** audiotape

tarddiad *eg* **tarddiadau** origination

targed iechyd *eg* **targedau iechyd** health target

tarwden y traed *eb* athlete's foot

tawelydd *eg* **tawelyddion** tranquillizer

TB *eg* TB

techneg fesur *eb* **technegau mesur** measurement technique

techneg torri newyddion drwg *eb* **technegau torri newyddion drwg** technique for breaking bad news

techneg trafod *eb* **technegau trafod** discussion technique

technoleg *eb* technology

tegan *eg* **teganau** toy

teimlad *eg* **teimladau** feeling

teithio *be* travelling

teithiwr *eg* **teithwyr** traveller

teledu *eg* television

telerau gwaith *ell* working terms

teulu *eg* **teuluoedd** family

teulu maeth *eg* **teuluoedd maeth** foster family

teulu estynedig *eg* **teuluoedd estynedig** extended family

teulu sy'n mabwysiadu *eg* **teuluoedd sy'n mabwysiadu** adoptive family

teulu niwclear *eg* **teuluoedd niwclear** nuclear family

teulu un rhiant *eg* **teuluoedd un rhiant** single-parent family

tinitws *eg* tinnitus

tiwmor ar yr ymennydd *eg* **tiwmorau ar yr ymennydd** brain tumour

tlodi *eg* poverty

tocsoplasmosis *eg* toxoplasmosis

toddydd *eg* **toddyddion** solvent

tonsilitis *eg* tonsillitis

torasgwrn *eg* **toresgyrn** fracture

traddodiad *eg* **traddodiadau** tradition

trafodaeth *eb* **trafodaethau** discussion

trafodaeth grŵp *eb* **trafodaethau grŵp** group discussion

trais *eg* violence

trais rhywiol *eg* sexual violence

trallwysiad gwaed *eg* **trallwysiadau gwaed** blood transfusion

tramgwyddaeth yr ifanc *eb* juvenile delinquency

tramgwyddwr *eg* **tramgwyddwyr** delinquent

trawiad ar y galon *eg* **trawiadau ar y galon** heart attack

trawsblaniad *eg* **trawsblaniadau** transplantation

trawsrywioldeb *eg* transsexuality

trawsrywiolion *ell* transsexuals

treisio *be* rape *v*

trethiant *eg* taxation

triniaeth feddygol *eb* medical treatment

triniaeth gyflenwol *eb* **triniaethau cyflenwol** complementary treatment

tristwch *eg* sorrow

triwanta *be* truancy *mass noun*

trosedd *eb* **troseddau** crime

troseddwr *eg* **troseddwyr** offender

trwm eu clyw *ans* hard of hearing

trychineb *eg* **trychinebau** disaster

trychineb diwydiannol *eg* **trychinebau diwydiannol** industrial disaster

trychineb niwclear *eb* **trychinebau niwclear** nuclear disaster

trychineb yr amgylchedd *eg* **trychinebau'r amgylchedd** environmental disaster

tiwberciwlosis *eg* tuberculosis

twf *eg* growth

twristiaeth rhyw *eb* sex tourism

twymyn *eb* fever

twymyn y chwarennau *eb* glandular fever

tŷ bwyta *eg* **tai bwyta** restaurant

tŷ noddfa *eg* **tai noddfa** refuge house

tŷ noddfa i ferched *eg* **tai noddfa i ferched** women's refuge house

tylino *be* massage *mass noun*

TH

thalasaemia *eg* thalassaemia

theatr *eb* **theatrau** theatre

theori *eb* theory *mass noun*

theori addysg *eb* educational theory

therapi *eg* **therapïau** therapy

therapi at gaethiwed *eg* addiction therapy

therapi dadwenwyno *eg* detoxification therapy

therapi galwedigaethol *eg* occupational therapy

therapi grŵp *eb* group therapy

therapi ymddygiad *eg* behaviour therapy

thrombosis *eg* thrombosis

U

Undeb Ewropeaidd *eb* European Union

uned arddangos weledol *eb* **unedau arddangos gweledol** visual display unit (VDU)

undeb llafur *eg* **undebau llafur** trade union

unigrwydd *eg* loneliness

VD: afiechyd gwenerol *eg* **afiechydon gwenerol** venereal disease

VDU: uned arddangos weledol *eb* **unedau arddangos gweledol** visual display unit

W

wrethritis amhenodol *eg* non-specific urethritis (NSU)

wy *eg* **wyau** egg

Y

y pas *eg* whooping cough

y cyfnewid *eg* menopause

y dwymyn doben *eb* mumps

y dwymyn goch *eb* scarlet fever

y gynddaredd *eb* rabies

y llech *eg* rickets

y llindag *eb* thrush

ychwanegyn bwyd *eg* **ychwanegion bwyd** food additive

ymarfer *eg* **ymarferion** exercise *n*

ymarfer proffesiynol *eg* professional practice

ymarfer ymlacio *eg* **ymarferion ymlacio** relaxation exercise

ymarfer ar sail tystiolaeth *eg* evidence based practice

ymarfer cyn-geni *eg* **ymarferion cyn-geni** antenatal exercise

ymbelydredd *eg* radiation

ymchwil *eg* research

ymchwil amlddisgyblaethol *eg* multidisciplinary research

ymchwil ansoddol *eg* qualitative research

ymchwil arhydol *eg* longitudinal research

ymchwil cymdeithasol *eg* social research

ymchwil cymhwysol *eg* applied research

ymchwil gweithredol *eg* action research

ymchwil maes *eg* field research

ymchwil meddygol *eg* medical research

ymchwil meintiol *eg* quantitative research

ymchwil rhyngddiwylliannol *eg* intercultural research

ymchwil rhyngsectoraidd *eg* intersectoral research

ymchwil sylfaenol *eg* fundamental research

ymchwil trawsddiwylliannol *eg* cross-cultural research

ymchwil ystadegol *eg* statistical research

ymddeoliad *eg* retirement

ymddygiad *eg* **ymddygiadau** behaviour

ymddygiad anghymdeithasol *eg* antisocial behaviour

ymddygiad ceisio gwybodaeth *eg* information seeking behaviour

ymddygiad gorfodaethyrrol *eg* compulsive behaviour

ymddygiad iechyd *eg* health behaviour

ymddygiad rôl salwch *eg* sick role behaviour

ymddygiad rhywiol *eg* sexual behaviour

ymddygiad teip A *eg* type A behaviour

ymddygiad teip B *eg* type B behaviour

ymddygiad wrth yrru *eg* driving behaviour

ymddygiad ynghylch maeth *eg* nutritional behaviour

ymgyrch gwybodaeth *eb* **ymgyrchoedd gwybodaeth** information campaign

ymhadiad artiffisial *eg* artificial insemination

ymofynnwr noddfa *eg* **ymofynwyr noddfa** asylum seeker

ymosodedd *eg* aggression

ymwelydd (ar wyliau) *eg* **ymwelwyr** tourist

ymyriad *eg* **ymyriadau** intervention

ymyriad iechyd *eg* **ymyriadau iechyd** health intervention

ymyrryd mewn argyfwng *be* crisis intervention

ynysiad *eg* insulation

yr eryr *eg* shingles

ysbyty *eg* **ysbytai** hospital

ysbyty plant *eg* **ysbytai plant** children's hospital

ysbyty seiciatrig *eg* **ysbytai seiciatrig** psychiatric hospital

ysfa gystadleuol *eb* competitiveness

ysgariad *eg* **ysgariadau** divorce

ysgol *eb* **ysgolion** school

ysgol feithrin *eb* **ysgolion meithrin** nursery school

ysgol gynradd *eb* **ysgolion cynradd** primary school

ysgol uwchradd *eb* **ysgolion uwchradd** secondary school

ysmygu *be* smoking

ysmygu goddefol *be* passive smoking

ysmygwr *eg* **ysmygwyr** smoker

Saesneg - Cymraeg

English - Welsh

A

abortion erthyliad *eg* erthyliadau

accident damwain *eb* damweiniau

acne acne *eg*

acquired immunodeficiency syndrome syndrom diffyg imiwnedd caffaeledig *eg*

action research ymchwil gweithredol *eg*

acupuncture *mass noun* aciwbigo *be*

adaptability hyblygrwydd *eg*

adaptation addasiad *eg* addasiadau

addiction caethiwed *eg*

addiction counselling cynghori ar gaethiwed *be*

addiction service gwasanaeth i'r caeth *eg* gwasanaethau i'r caeth

addiction therapy therapi at gaethiwed *eg*

ADHD: attention deficit and hyperactive disorder anhwylder diffyg canolbwyntio a gorfywiogrwydd *eg*

adherence (=compliance) cadw at *be*

adolescence llencyndod *eg*

adolescent *n* person ifanc *eg* pobl ifanc

adopted child plentyn mabwysiedig *eg* plant mabwysiedig

adoption *mass noun* mabwysiadu *be*

adoptive family teulu sy'n mabwysiadu *eg* teuluoedd sy'n mabwysiadu

adoptive parent rhiant sy'n mabwysiadu *eg* rhieni sy'n mabwysiadu

adult oedolyn *eg* oedolion

adult basic education addysg sylfaenol i oedolion *eb*

adult education addysg oedolion *eb*

adult work gwaith oedolion *eg*

advertising hysbysebu *be*

advocacy eiriolaeth *eb*

aftercare ôl-ofal *eg*

aged (=of great age) oedrannus *ans*

ageing heneiddio *be*

ageing population poblogaeth sy'n heneiddio *eb* poblogaethau sy'n heneiddio

aggression ymosodedd *eg*

agoraphobia agoraffobia *eg*

agricultural industry diwydiant amaethyddol *eg*

agricultural pollution llygredd amaethyddol *eg*

AIDS AIDS *eg*

air aer *eb*

air pollution llygredd aer *eg*

albinoism albinedd *eg*

alcohol alcohol *eg*

alcohol consumption cymeriant alcohol *eg*

alcohol counselling cynghori ar alcohol *be*

alcohol dependency dibyniaeth ar alcohol *eb*

alcohol dependent *n* person sy'n dibynnu ar alcohol *eg* pobl sy'n dibynnu ar alcohol

alcohol education addysg ar alcohol *eb*

alcohol misuse camddefnydd o alcohol *eg*

alcohol policy polisi alcohol *eg* polisïau alcohol

alcohol user defnyddiwr alcohol *eg* defnyddwyr alcohol

alcoholics alcoholigion *ell*

alcoholism alcoholiaeth *eb*

alexia alecsia *eg*

allergy alergedd *eg* alergeddau

alocohol dependent person sy'n dibynnu ar alcohol *eg* pobl sy'n dibynnu ar alcohol

alopecia alopesia *eg*

ALS: amyotrophic lateral sclerosis sglerosis ochrol amyotroffig *eg*

alternative medicine meddygaeth amgen *eb*

Alzheimer's disease clefyd Alzheimer *eg*

amalgam sensitivity sensitifedd i amalgam *eg*

amphetamine amffetamin *eg* amffetaminau

amyl nitrate amyl nitrad *eg*

amyotrophic lateral sclerosis (ALS) sglerosis ochrol amyotroffig *eg*

anabolic steroid steroid anabolig *eg* steroidau anabolig

anaemia anaemia *eg*

anaesthesia anaesthesia *eg*

anal sex rhyw rhefrol *eg*

analgesic ***n*** poenleddfwr *eg* poenleddfwyr

analysis dadansoddiad *eg* dadansoddiadau

anatomy anatomi *eg*

angina pectoris angina pectoris *eg*

animal anifail *eg* anifeiliaid

ankylosing spondylitis spondylitis ymasiol *eg*

anorexia nervosa anorecsia nerfosa *eg*

antenatal care gofal cyn-geni *eg*

antenatal education addysg cyn geni *eb*

antenatal exercise ymarfer cyn-geni *eg* ymarferion cyn-geni

anthropology anthropoleg *eb*

antisocial behaviour ymddygiad anghymdeithasol *eg*

anxiety pryder *eg* pryderon

apathy difaterwch *eg*

aphasia affasia *eg*

apoplexy apoplecsi *eg*

applied research ymchwil cymhwysol *eg*

apprehension pryder *eg*

armed services lluoedd arfog *ell*

arthritis arthritis *eg*

arthrosis arthrosis *eg*

artificial insemination ymhadiad artiffisial *eg*

asbestos asbestos *eg*

assertiveness pendantrwydd *eg*

assertiveness training hyfforddiant dangos pendantrwydd *eg*

assessment asesiad *eg* asesiadau

assisted conception cenhedliad cynorthwyedig *eg*

association cymdeithas *eb* cymdeithasau

asthma asthma *eg*

asylum seeker ymofynnwr noddfa *eg* ymofynwyr noddfa

at risk group grŵp mewn perygl *eg* grwpiau mewn perygl

athlete's foot tarwden y traed *eb*

attention deficit and hyperactive disorder (ADHD) anhwylder diffyg canolbwyntio a gorfywiogrwydd *eg*

attitude agwedd *eb* agweddau

attitudinal change newid agwedd *eg*

audio cassette casét sain *eg* casetiau sain

audiotape tâp sain *eg* tapiau sain

audiovisual materials deunyddiau clyweled *ell*

audit archwiliad *eg* archwiliadau

autism awtistiaeth *eb*

automutilation hunanlurguniad *eg* hunanlurguniadau

B

back pain poen cefn *eg* poenau cefn

backache poen cefn *eg* poenau cefn

bad news conversation sgwrs torri newyddion drwg *eb* sgyrsiau torri newyddion drwg

badge bathodyn *eg* bathodynnau

baldness moelni *eg*

balneotherapy balneotherapi *eg*

barbiturate barbitiwrad *eg* barbitiwradau

bedwetting gwlychu gwely *be*

behaviour ymddygiad *eg* ymddygiadau

behaviour therapy therapi ymddygiad *eg*

behavioural change newid ymddygiad *eg*

behavioural disorder anhwylder ymddygiad *eg* anhwylderau ymddygiad

behavioural problem problem ymddygiad *eb* problemau ymddygiad

behavioural psychology seicoleg ymddygiad *eb*

behavioural science gwyddor ymddygiad *eb* gwyddorau ymddygiad

belief cred *eb* credoau

benzodiazepine bensodiasepin *eg* bensodiasepinau

bereaved people pobl mewn profedigaeth *ell*

bereavement profedigaeth *eb* profedigaethau

bereavement counselling cynghori mewn profedigaeth *be*

biology bioleg *eb*

biorhythm biorhythm *eg* biorhythmau

birth genedigaeth *eb* genedigaethau

birth control rheoli cenhedlu *be*

birth rate cyfradd genedigaethau

bisexuals deurywolion *ell*

bisexuality deurywioldeb *eg*

black and minority ethnic groups grwpiau du ac ethnig lleiafrifol *ell*

bladder cancer canser y bledren *eg*

bladder infection haint y bledren *eb* heintiau'r bledren

blind person person dall *eg* pobl ddall

blindness dallineb *eg*

blood disorder anhwylder y gwaed *eg* anhwylderau'r gwaed

blood transfusion trallwysiad gwaed *eg* trallwysiadau gwaed

body clock cloc y corff *eg*

body image delwedd corff *eb*

body language iaith y corff *eb*

bone disorder anhwylder esgyrn *eg* anhwylderau esgyrn

book ***n*** llyfr *eg* llyfrau

booklet llyfryn *eg* llyfrynnau

bottle feeding bwydo â photel *be*

bowel cancer canser y coluddyn *eg*

boy bachgen *eg* bechgyn

brain damage niwed i'r ymennydd *eg*

brain disease afiechyd yr ymennydd *eg*

brain tumour tiwmor ar yr ymennydd *eg* tiwmorau ar yr ymennydd

breast cancer canser y fron *eg*

breast disease afiechyd y fron *eg* afiechydon y fron

breast feeding bwydo ar y fron *be*

broadcasting corporation corfforaeth ddarlledu *eb* corfforaethau darlledu

bronchial cancer canser bronciol *eg*

bronchitis broncitis *eg*

buddy bydi *eg* bydïaid

buddying cymorth bydi *eg*

budget ***n*** cyllideb *eb* cyllidebau

building industry diwydiant adeiladu *eg*

built environment amgylchedd adeiledig *eg*

bulimia nervosa bwlimia nerfosa *eg*

bulletin board bwrdd bwletin *eg* byrddau bwletin

bullying bwlio *be*

burn llosg *eg* llosgiadau

burnout syndrome syndrom chwythu plwc *eg*

C

calcium calsiwm *eg*

calorie calori *eg* calorïau

cancer canser *eg* canserau

candidiasis candidiasis *eg*

cannabis canabis *eg*

canteen ffreutur *eb* ffreuturau

carbohydrate carbohydrad *eg* carbohydradau

cardiovascular accident damwain gardiofasgiwlar *eb* damweiniau cardiofasgiwlar

cardiovascular disease clefyd cardiofasgiwlar *eg* clefydau cardiofasgiwlar

cardiovascular insult niwed cardiofasgiwlar *eg*

cardiovascular system system gardiofasgiwlar *eb*

career development datblygu gyrfa *be*

carer gofalydd *eg* gofalwyr

Caribbean Caribïaidd *ans*

caries pydredd *eg*

case study astudiaeth achos *eb* astudiaethau achos

casual employment cyflogaeth ysbeidiol *eb*

cataract cataract *eg* cataractau

catering industry diwydiant arlwyo *eg*

causality achosiaeth *eb*

CD: compact disc cryno ddisg *eg* cryno ddisgiau

celibacy diweirdeb *eg*

central government llywodraeth ganol *eb*

central nervous system system nerfol ganolog *eb*

cereal product cynnyrch grawnfwyd *eg* cynhyrchion grawnfwyd

cerebral palsy parlys cerebrol *eg*

cerebrovascular accident (CVA) damwain gerebrofasgiwlar *eb* damweiniau cerebrofasgiwlar

cervical cancer canser cerfigol *eg*

character cymeriad *eg*

CHD: coronary heart disease afiechyd coronaidd y galon *eg*

chemical industry *eg* diwydiant cemegau

chemist (=pharmacist) fferyllydd *eg* fferyllwyr

chemotherapy cemotherapi *eg*

chickenpox brech yr ieir *eb*

child plentyn *eg* plant

childbirth geni plentyn *be*

child abuse cam-drin plant *be*

child dental health care gofal iechyd deintyddol plant *eg*

child development datblygiad plant *eg*

child guidance service gwasanaeth cyfarwyddo plant *eg* gwasanaethau cyfarwyddo plant

child health service gwasanaeth iechyd plant *eg* gwasanaethau iechyd plant

child nutrition maethiad plant *eg*

child sexual abuse cam-drin plant yn rhywiol *be*

child with behavioural problems plentyn â phroblemau ymddygiad *eg* plant â phroblemau ymddygiad

child with learning difficulties plentyn ag anawsterau dysgu *eg* plant ag anawsterau dysgu

child dental health care gofal iechyd deintyddol plant *eg*

children's book llyfr plant *eg* llyfrau plant

children's hospital ysbyty plant *eg* ysbytai plant

childhood disease afiechyd plentyndod *eg* afiechydon plentyndod

chiropractice ***n*** ciropracteg *eb*

chlamydia clamydia *eg*

chromosomal disorder anhwylder cromosomaidd *eg* anhwylderau cromosomaidd

chronic illness afiechyd cronig *eg* afiechydon cronig

chronically ill child plentyn ag afiechyd cronig *eg* plant ag afiechyd cronig

chronically ill patient claf ag afiechyd cronig *eg* cleifion ag afiechyd cronig

circadian rhythm rhythmau circadaidd *eg* rhythmau circadaidd

circulatory system system gylchredol *eb*

circumcision enwaediad *eg*

cleft palate taflod hollt *eb*

clergy clerigwyr *ell*

client cleient *eg* cleientiaid

climate hinsawdd *eb*

clinic clinig *eg* clinigau

clothing industry diwydiant dillad *eg*

cocaine cocên *eg*

coeliac disease clefyd coeliag *eg*

cognition gwybyddiaeth *eb*

cognitive function gweithrediad gwybyddol *eg* gweithrediadau gwybyddol

cognitive process proses wybyddol *eb* prosesau gwybyddol

cohabitation ***mass noun*** cyd-fyw *be*

cohort studies astudiaethau carfan *ell*

cold annwyd *eg*

college of further education coleg addysg bellach *eg* colegau addysg bellach

college of higher education coleg addysg uwch *eg* colegau addysg uwch

colostomy colostomi *eg*

colour blindness dallineb lliw *eg*

commercial orientation gogwydd masnachol *eg*

common cold annwyd cyffredin *eg*

communicable disease clefyd trosglwyddadwy *eg* clefydau trosglwyddadwy

communication ***mass noun*** cyfathrebu *be*

communication disorder anhwylder cyfathrebu *eg* anhwylderau cyfathrebu

community action gweithredu cymunedol *be*

community development datblygu cymunedol *be*

community health iechyd cymuned *eg*

community health council cyngor iechyd cymuned *eg* cynghorau iechyd cymuned

community health project project iechyd cymuned *eg* projectau iechyd cymuned

community information gwybodaeth gymunedol *eb*

community information and advice services gwasanaethau gwybodaeth a chyngor yn y gymuned *ell*

community mental health care gofal iechyd meddwl yn y gymuned *eg*

community mental health care professional gweithiwr proffesiynol gofal iechyd meddwl yn y gymuned *eg* gweithwyr proffesiynol gofal iechyd meddwl yn y gymuned

community mental health nursing nyrsio iechyd meddwl yn y gymuned *be*

community nursing nyrsio yn y gymuned *be*

community participation cyfranogiad cymuned *eg*

community social work gwaith cymdeithasol yn y gymuned *eg*

compact disc (CD) cryno ddisg *eg* cryno ddisgiau

company doctor meddyg cwmni *eg* meddygon cwmni

comparative studies astudiaethau cymharol *ell*

competition ***mass noun*** cystadlu *be*

competitiveness ysfa gystadleuol *eb*

complaint cwyn *eb* cwynion

complementary medicine meddygaeth gyflenwol *eb*

complementary treatment triniaeth gyflenwol *eb* triniaethau cyflenwol

complex carbohydrate carbohydrad cymhleth *eg* carbohydradau cymhleth

compliance cydymffurfiad *eg*

compulsive behaviour ymddygiad gorfodaethyrrol *eg*

computer networks rhwydwaith cyfrifiadurol *eg* rhwydweithiau cyfrifiadurol

concept cysyniad *eg* cysyniadau

conception (=getting pregnant) beichiogiad *eg*

condom condom *eg* condomau

conference cynhadledd *eb* cynadleddau

congenital disorder anhwylder cynhenid *eg* anhwylderau cynhenid

congress cyngres *eb* cyngresau

conjunctivitis llid y gyfbilen *eg*

construction industry diwydiant adeiladu *eg*

consumer defnyddiwr *eg* defnyddwyr

contact allergy alergedd cyffwrdd *eg*

contagious disease clefyd cyffwrdd-ymledol *eg* clefydau cyffwrdd-ymledol

contraception atal cenhedlu *be*

contraceptive dull atal cenhedlu *eg* dulliau atal cenhedlu

contraceptive pill pilsen atal cenhedlu *eb* pils atal cenhedlu

control group grŵp rheolydd *eg* grwpiau rheolydd

convenience food bwyd cyfleus *eg* bwydydd cyfleus

cooperation cydweithrediad *eg*

coronary heart disease (CHD) clefyd coronaidd y galon *eg*

corporation corfforaeth *eb* corfforaethau

cost cost *eb* costau

cost-benefit analysis dadansoddiad budd-gost *eg* dadansoddiadau budd-gost

costeffectiveness costeffeithiolrwydd *eg*

costing prisiad *eg* prisiadau

cot death marwolaeth yn y crud *eb*

coughing pesychu *be*

counselling cynghori *be*

counsellor cynghorwr *eg* cynghorwyr

course material deunydd cwrs *eg* deunyddiau cwrs

crack crac *eg*

cramp cramp *eg* crampiau

Creutzfeltd Jacob disease clefyd Creutzfeldt Jacob *eg*

crime trosedd *eb* troseddau

crisis intervention ymyrryd mewn argyfwng *be*

Crohn's disease clefyd Crohn *eg*

cross-cultural research ymchwil trawsddiwylliannol *eg*

croup crŵp *eg*

culture diwylliant *eg* diwylliannau

curriculum cwricwlwm *eg* cwricwla

custodial centre canolfan gadw *eb* canolfannau cadw

custom arferiad *eg* arferion

customer orientation gogwydd cwsmeriaid *eg*

CVA: cerebrovascular accident damwain gerebrofasgiwlar *eb* damweiniau cerebrofasgiwlar

cycling beicio *be*

cystitis cystitis *eg*

D

dancing dawnsio *be*

data collection casglu data *be*

day care gofal dydd *eg*

deaf-blindness byddardod-dallineb *eg*

deafness byddardod *eg*

death marwolaeth *eb*

death rate cyfradd marwolaethau *eb*

decision making penderfynu *be*

delinquent tramgwyddwr *eg* tramgwyddwyr

Delphi method dull Delphi *eg*

dementia dementia *eg*

demography demograffeg *eb*

demonstration model model arddangos *eg* modelau arddangos

denominational education addysg enwadol *eb*

dental assistant cynorthwyydd deintyddol *eg* cynorthwywyr deintyddol

dental caries pydredd dannedd *eg*

dental health iechyd deintyddol *eg*

dental health care gofal iechyd deintyddol *eg*

dental hygienist hylenydd deintyddol *eg* hylenyddion deintyddol

dentist deintydd *eg* deintyddion

dentistry deintyddiaeth *eb*

depressant iselydd *eg* iselyddion

depression iselder *eg*

dermatitis dermatitis *eg*

design dylunio *be*

detoxification ***mass noun*** dadwenwyno *be*

detoxification therapy therapi dadwenwyno *eg*

development datblygiad *eg* datblygiadau

developmental disorder anhwylder datblygiad *eg* anhwylderau datblygiad

developmental psychology seicoleg datblygiad *eb*

developmental screening sgrinio datblygiad *be*

diabetes diabetes *eg*

diagnosis diagnosis *eg*

diaphragm diaffram *eg* diafframau

diarrhoea dolur rhydd *eg*

didactics didacteg *eb*

diet diet *eg* dietau

dietary education addysg ar ddiet *eb*

dieticians dietegydd *eg* dietegwyr

dieting dilyn diet *be*

digestive system system dreulio *eb*

digestive tract disease afiechyd y llwybr treulio *eg* afiechydon y llwybr treulio

diphtheria difftheria *eg*

disability anabledd *eg* anableddau

disability access mynediad i bobl anabl *eg*

disability care gofal i bobl anabl *eg*

disability equipment offer i bobl anabl *ell*

disability housing cartrefi i bobl anabl *ell*

disability housing tai i bobl anabl *ell*

disaster trychineb *eg* trychinebau

disaster planning cynllunio ar gyfer trychinebau *be*

disaster prevention atal trychinebau *be*

disaster trychineb *eg* trychinebau

discotheque discotéc *eg* discoteciau

discovery darganfyddiad *eg* darganfyddiadau

discrimination gwahaniaethu *be*

discussion trafodaeth *eb* trafodaethau

discussion group grŵp trafod *eg* grwpiau trafod

discussion technique techneg trafod *eb* technegau trafod

disease clefyd *eg* clefydau

distance learning dysgu o bell *be*

district nurse nyrs ardal *eb* nyrsys ardal

district nursing nyrsio ardal *be*

divorce ysgariad *eg* ysgariadau

doctor meddyg *eg* meddygon

doctor-patient relationship perthynas meddyg-claf *eb*

domestic accidents damwain yn y cartref *eb* damweiniau yn y cartref

donor rhoddwr *eg* rhoddwyr

doping dopio *be*

Down's syndrome syndrom Down *eg*

dreaming breuddwydio *be*

driving behaviour ymddygiad wrth yrru *eg*

drowning boddi *be*

drug cyffur *eg* cyffuriau

drug addict person caeth i gyffuriau *eg* pobl gaeth i gyffuriau

drug consumption cymeriant cyffuriau *eg*

drug counselling cynghori ar gyffuriau *be*

drug dependency dibyniaeth ar gyffuriau *eb*

drug dependent person sy'n dibynnu ar gyffuriau *eg* pobl sy'n dibynnu ar gyffuriau

drug misuse camddefnyddio cyffuriau *be*

drug user defnyddiwr cyffuriau *eg* defnyddwyr cyffuriau

drugs policy polisi cyffuriau *eg* polisïau cyffuriau

dyslexia dyslecsia *eg*

ear nose and throat disorders (ENT) anhwylderau'r glust trwyn a gwddf *ell*

eating disorder anhwylder bwyta *eg* anhwylderau bwyta

eating habits arferion bwyta *ell*

eclampsia eclampsia *eg*

ecological construction adeiladwaith ecolegol *eg*

economic system cyfundrefn economi *eb* cyfundrefnau economi

economics economeg *eb*

ecstasy ecstasi *eg*

eczema ecsema *eg*

education addysg *eb*

educational broadcasting darlledu addysgol *be*

educational broadcasting corporation corfforaeth ddarlledu addysgol *eb* corfforaethau darlledu addysgol

educational requirement gofyniad addysgol *eg* gofynion addysgol

educational setting sefyllfa addysgol *eb* sefyllfaoedd addysgol

educational standard safon addysgol *eb* safonau addysgol

educational system cyfundrefn addysg *eb* cyfundrefnau addysg

educational theory theori addysg *eb*

effect effaith *eg/b* effeithiau

effectiveness effeithiolrwydd *eg*

efficacy effeithlonedd *eg*

efficiency effeithlonrwydd *eg*

egg wy *eg* wyau

elder abuse cam-drin yr henoed *be*

elderly care gofal yr henoed *be*

elderly people henoed *eg*

electronic mailservice gwasanaeth post electronig *eg* gwasanaethau post electronig

e-mail e-bost *eg*

emergency contraception atal cenhedlu brys *be*

emergency medical care gofal meddygol brys *eg*

emigration ***mass noun*** allfudo *be*

emotion emosiwn *eg* emosiynau

emphysema emffysema *eg*

employee gweithiwr *eg* gweithwyr

employer cyflogwr *eg* cyflogwyr

employment cyflogaeth *eb*

employment legislation deddfwriaeth cyflogaeth *eb*

employment terms amodau cyflogaeth *ell*

empowerment ***mass noun*** rhoi grym *be*

endocrine disorder anhwylder endocrin *eg* anhwylderau endocrin

endocrine system system endocrin *eb*

ENT: ear nose and throat disorders anhwylderau'r glust trwyn a gwddf *ell*

enuresis eniwresis *eg*

environment amgylchedd *eg* amgylcheddau

environmental disaster trychineb yr amgylchedd *eg* trychinebau'r amgylchedd

environmental health iechyd yr amgylchedd *eg*

environmental studies astudiaethau'r amgylchedd *ell*

epidemiology epidemioleg *eb*

epilepsy epilepsi *eg*

equal opportunity cyfle cyfartal *eg* cyfleoedd cyfartal

ergonomics ergonomeg *eb*

ethics moeseg *eb*

European Commission Comisiwn Ewropeaidd *eg*

European Union Undeb Ewropeaidd *eb*

euthanasia ewthanasia *eg*

evaluation ***mass noun*** gwerthuso *be*

evidence based practice ymarfer ar sail tystiolaeth *eg*

executive swyddog gweithredol *eg* swyddogion gweithredol

exercise ***n*** ymarfer *eg* ymarferion

exhibition arddangosfa *eb* arddangosfeydd

expectant parent darpar riant *ell* darpar rieni

experiential learning dysgu trwy brofiad *be*

experiment arbrawf *eg* arbrofion

expert arbenigwr *eg* arbenigwyr

explosive ffrwydryn *eg* ffrwydron

extended family teulu estynedig *eg* teuluoedd estynedig

eye disorder anhwylder y llygad *eg* anhwylderau'r llygad

F

faecal incontinence anymataliad ysgarthion *eg*

faith ffydd *eg*

fall cwymp *eb* cwympiadau

family teulu *eg* teuluoedd

family care gofal teulu *eg*

family care worker gweithiwr gofal teulu *eg* gweithwyr gofal teulu

family planning cynllunio teulu *be*

family relations perthnas o fewn teulu *eb*

family support cefnogaeth deuluol *eb*

far-sightedness pell-welediad *eg*

fast food bwyd sydyn *eg* bwydydd sydyn

father tad *eg* tadau

fatigue blinder *eg*

fear ofn *eg*

fear of failure ofn methu *eg*

feasibility study astudiaeth dichonolrwydd *eb* astudiaethau dichonolrwydd

feeling teimlad *eg* teimladau

female benyw *ans*

female circumcision enwaediad merched *eg*

female condom condom i ferched *eg* condomau i ferched

femidon ffemidon *eg* ffemidonau

fertility test prawf ffrwythlondeb *eg* profion ffrwythlondeb

fever twymyn *eb*

fibre ffibr *eg* ffibrau

field research ymchwil maes *eg*

finance cyllid *eg*

fire prevention atal tân *be*

fire safety diogelwch rhag tân *eg*

fireworks tân gwyllt *eg*

first aid cymorth cyntaf *eg*

fish *n* pysgodyn *eg* pysgod

fishing industry diwydiant pysgota *eg*

flu ffliw *eg*

fluoridation *mass noun* fflworideiddio *be*

focus group methodology methodoleg grŵp ffocws *eb*

foetal alcohol syndrome syndrom alcohol y ffetws *eg*

folate ffolad *eg* ffoladau

folic acid asid ffolig *eg*

food addiction caeth i fwyd *eg*

food additive ychwanegyn bwyd *eg* ychwanegion bwyd

food allergy alergedd bwyd *eg* alergeddau bwyd

food hygiene hylendid bwyd *eg*

food industry diwydiant bwyd *eg*

food poisoning gwenwyn bwyd *eg*

food preparation paratoi bwyd *be*

food preservation cadw bwyd *be*

food processing prosesu bwyd *be*

food regulation rheoliad bwyd *eg* rheoliadau bwyd

food storage storio bwyd *be*

foodstuff bwyd *eg* bwydydd

foster family teulu maeth *eg* teuluoedd maeth

fracture torasgwrn *eg* toresgyrn

Friedreich's ataxia atacsia Friedreich *eg*

friend cyfaill *eg* cyfeillion

frigidity oerni rhywiol *eg*

fruit ffrwyth *eg* ffrwythau

full-time employment cyflogaeth lawn-amser *eb*

fundamental research ymchwil sylfaenol *eg*

funding ariannu *be*

funds cyllid *eg*

fungal infection haint ffwngaidd *eb* heintiau ffwngaidd

future dyfodol *eg*

G

gallstone carreg y bustl *eb* cerrig y bustl

gambler gamblwr *eg* gamblwyr

gambling gamblo *be*

gambling addiction caethiwed i gamblo *eg*

games gêm *eb* gemau

gay man dyn hoyw *eg* dynion hoyw

gay partnership partneriaeth hoyw *eb* partneriaethau hoyw

gay people pobl hoyw *ell*

gender specific education addysg rhyw-benodol *eb*

general practice meddygaeth teulu *eb*

general practice receptionist croesawydd meddygfa *eg* croesawyr meddygfa

general practitioner meddyg teulu *eg* meddygon teulu

genetic counselling cynghori geneteg *be*

genital disease clefyd y genitalia *eg* clefydau'r genitalia

genital herpes herpes gwenerol *eg*

genital mutilation llurguniad genidaidd *eg* llurguniadau genidaidd

genital wart dafaden wenerol *eb* dafadennau gwenerol

geography daearyddiaeth *eb*

geriatric care worker gweithiwr gofal geriatrig *eg* gweithwyr gofal geriatrig

German measles brech Almaenig *eb*

gerontology gerontoleg *eb*

gingivitis llid y deintgig *eg*

girl merch *eb* merched

glandular fever twymyn y chwarennau *eb*

glaucoma glawcoma *eg*

gluten glwten *eg*

goitre goitr *eg*

gonorrhea gonorea *eg*

government llywodraeth *eg* llywodraethau

grass (of drug) cywarch *eg*

grief galar *eg*

group grŵp *eg* grwpiau

group discussion trafodaeth grŵp *eb* trafodaethau grŵp

group dynamics dynameg grŵp *eb*

group education addysg grŵp *eb*

group information gwybodaeth i grwpiau *eb*

group therapy therapi grŵp *eb*

growth twf *eg*

growth disorder anhwylder tyfu *eg* anhwylderau tyfu

gynaecological disorder anhwylder gynaecolegol *eg* anhwylderau gynaecolegol

gynaecology gynaecoleg *eb*

H

habit arfer *eg* arferion

haematologic disorder anhwylder haematolegol *eg* anhwylderau haematolegol

haemorrhoid haemoroid *eg* haemoroidau

haemophilia haemoffilia *eg*

hair loss colli gwallt *be*

hallucinogen rhithbeiryn *eg* rhithbeiriau

hallucinogenic mushrooms madarch rhithbeiriol *ell*

hard of hearing (with plural nouns) trwm eu clyw *ans*

hard-to-reach group grŵp anodd i'w gyrraedd *eg* grwpiau anodd i'w cyrraedd

hard-to-reach young ifainc anodd i'w cyrraedd *ell*

harm reduction lleihau niwed *be*

hashish hashish *eg*

hate casineb *eg*

hay fever clwy'r gwair *eg*

head injury anaf i'r pen *eg* anafiadau i'r pen

head lice llau pen *ell*

headache cur pen *eg*

health iechyd *eg*

health behaviour ymddygiad iechyd *eg*

health behaviour maintenance cynnal ymddygiad iechyd *eg*

health belief credo iechyd *eg* credoau iechyd

health belief model model credo iechyd *eg* modelau credo iechyd

health care gofal iechyd *eg*

health care professional gweithiwr proffesiynol gofal iechyd *eg* gweithwyr proffesiynol gofal iechyd

health economics economeg iechyd *eb*

health education addysg iechyd *eb*

health education professional gweithiwr proffesiynol addysg iechyd *eg* gweithwyr proffesiynol addysg iechyd

health education studies astudiaethau addysg iechyd *ell*

health ethics moeseg iechyd *eb*

health for all (HFA) iechyd i bawb *eg*

health indicator dangosydd iechyd *eg* dangosyddion iechyd

health information service gwasanaeth gwybodaeth iechyd *eg* gwasanaethau gwybodaeth iechyd

health intervention ymyriad iechyd *eg* ymyriadau iechyd

health legislation deddfwriaeth iechyd *eb*

health message neges iechyd *eg* negeseuon iechyd

health needs assessment asesiad anghenion iechyd *eg* asesiadau anghenion iechyd

health outcome deilliant iechyd *eg* deilliannau iechyd

health planning cynllunio iechyd *be*

health policy polisi iechyd *eg* polisïau iechyd

health promotion hybu iechyd *be*

health promotion model model hybu iechyd *eg* modelau hybu iechyd

health promotion professional gweithiwr proffesiynol hybu iechyd *eg* gweithwyr proffesiynol hybu iechyd

health service gwasanaeth iechyd *eg* gwasanaethau iechyd

health shop siop iechyd *eb* siopau iechyd

health target targed iechyd *eg* targedau iechyd

health visiting (of service) gwasanaeth ymwelwyr iechyd *eg* gwasanaethau ymwelwyr iechyd

healthy alliance cynghrair iach *eb* cynghreiriau iach

healthy city dinas iach *eb* dinasoedd iach

hearing disorder anhwylder y clyw *eg* anhwylderau'r clyw

heart attack trawiad ar y galon *eg* trawiadau ar y galon

helpline llinell gymorth *eb* llinellau cymorth

hepatitis A hepatitis A *eg*

hepatitis B hepatitis B *eg*

hepatitis C hepatitis C *eg*

herbalism llysieuaeth feddygol *eb*

heroin heroin *eg*

herpes herpes *eg*

herpes simplex herpes simplecs *eg*

herpes zoster herpes soster *eg*

heterosexuality heterorywioldeb *eg*

heterosexuals heterorywiolion *ell*

HFA: health for all iechyd i bawb *eg*

high blood pressure pwysedd gwaed uchel *eg*

high density lipoprotein lipoprotein dwysedd uchel *eg* lipoproteinau dwysedd uchel

higher education addysg uwch *eb*

highly flammable substance sylwedd tra fflamadwy *eg* sylweddau tra fflamadwy

highly inflammable substance sylwedd tra fflamadwy *eg* sylweddau tra fflamadwy

history hanes *eg*

HIV infection heintiad HIV *eg* heintiadau HIV

HIV-positive people pobl HIV-bositif *ell*

Hodgkin's disease clefyd Hodgkin *eg*

holidays gwyliau *ell*

holistic approach agwedd gyfannol *eb*

home accident damwain yn y cartref *eb* damweiniau yn y cartref

home care gofal yn y cartref *eg*

home safety diogelwch yn y cartref *eg*

homeless people pobl ddigartref *ell*

homeless work gwaith gyda'r digartref *eg*

homelessness digartrefedd *eg*

homeopathy homeopathi *eg*

homosexual cyfunrywiol *ans*

homosexuality cyfunrywioldeb *eg*

homosexuals cyfunrywiolion *ell*

hormone hormon *eg* hormonau

hospice hospis *eg* hospisau

hospital ysbyty *eg* ysbytai

hospital admission derbyn i ysbyty *be*

hospital broadcasting corporation corfforaeth ddarlledu ysbyty *eb* corfforaethau darlledu ysbytai

hospital discharge rhyddhau o ysbyty *be*

hospital waste gwastraff ysbyty *eg*

hospitalisation gosod mewn ysbyty *be*

household waste gwastraff tŷ *eg*

housing tai *ell*

housing quality ansawdd tai *eg*

human resource management rheolaeth adnoddau dynol *eb*

human rights iawnderau dynol *ell*

Huntington's chorea corea Huntington *eg*

hydrocephalus hydroceffalws *eg*

hygiene hylendid *eg*

hyperactivity gorfywiogrwydd *eg*

hypertension gorbwysedd *eg*

hyperthyroidism gorthyroidedd *eg*

hypnosis hypnosis *eg*

hypnotherapy hypnotherapi *eg*

hypochondria hypocondria *eg*

hypotension isbwysedd *eg*

hypothyroidism isthyroidedd *eg*

I

ileostomy ileostomi *eg*

illiteracy anllythrennedd *eg*

immigration *mass noun* mewnfudo *be*

immune disorder anhwylder imiwnedd *eg* anhwylderau imiwnedd

immune system system imiwnedd *eb*

immunisation *mass noun* imiwneiddio *be*

immunodeficiency diffyg imiwnedd *eg*

immunologic disease clefyd imiwnolegol *eg* clefydau imiwnolegol

immunologic disorder anhwylder imiwnolegol *eg* anhwylderau imiwnolegol

implementation *mass noun* gweithredu *be*

impotence analluedd *eg*

in vitro fertilization ffrwythloniad in vitro *eg*

incapacitated for work anabl i weithio *ans*

incapacitated people pobl anabl *ell*

incest llosgach *eg*

incontinence anymataliad *eg*

industrial safety diogelwch diwydiannol *eg*

industrial disaster trychineb diwydiannol *eg* trychinebau diwydiannol

industrial pollution llygredd diwydiannol *eg*

industrial safety diogelwch diwydiannol *eg*

industry diwydiant *eg* diwydiannau

infant baban *eg* babanod

infant nutrition maethiad babanod *eg*

infectious diseases clefyd heintus *eg* clefydau heintus

infertility anffrwythlondeb *eg*

influenza ffliw *eg*

information gwybodaeth *eb*

information spreading lledaenu gwybodaeth *be*

information assimilation cymathu gwybodaeth *be*

information campaign ymgyrch gwybodaeth *eb* ymgyrchoedd gwybodaeth

information centre canolfan wybodaeth *eb* canolfannau gwybodaeth

information dissemination lledaenu gwybodaeth *be*

information fair ffair wybodaeth *eb* ffeiriau gwybodaeth

information market marchnad wybodaeth *eb* marchnadoedd gwybodaeth

information methodology methodoleg gwybodaeth *eb*

information need angen am wybodaeth *eg* anghenion am wybodaeth

information officer swyddog gwybodaeth *eg* swyddogion gwybodaeth

information seeking behaviour ymddygiad ceisio gwybodaeth *eg*

information spreading lledaenu gwybodaeth *be*

informed consent cydsyniad deallus *eg*

inhibition ataliad *eg*

injury anaf *eg* anafiadau

innovation newyddbeth *eg* newyddbethau

insanitary housing tai afiach *ell*

in-service training hyfforddiant mewn swydd *eg*

insomnia insomnia *eg*

institutionalisation sefydliadeiddio *be*

instruction leaflet taflen gyfarwyddo *eb* taflenni cyfarwyddo

insulation ynysiad *eg*

intelligence deallusrwydd *eg*

interactive medium cyfrwng rhyngweithiol *eg* cyfryngau rhyngweithiol

intercultural research ymchwil rhyngddiwylliannol *eg*

intermediary cyfryngwr *eg* cyfryngwyr

international rhyngwladol *ans*

international comparison cymhariaeth ryngwladol *eb* cymariaethau rhyngwladol

international health planning cynllunio iechyd rhyngwladol *be*

international law cyfraith ryngwladol *eb*

international organisation sefydliad rhyngwladol *eg* sefydliadau rhyngwladol

internet rhyngrwyd *eb*

interpersonal skills sgiliau rhyngbersonol *ell*

interpreter (=translator) cyfieithydd *eg* cyfieithwyr

intersectoral cooperation cydweithrediad rhyngadrannol *eg*

intersectoral research ymchwil rhyngsectoraidd *eg*

intervention ymyriad *eg* ymyriadau

interview cyfweliad *eg* cyfweliadau

intestinal cancer canser y coluddyn *eg*

intestinal cancer canser y perfeddyn *eg*

intrauterine device (IUD) dyfais fewngroth *eb* dyfeisiau mewngroth

iron haearn *eg*

irritable bowel disease clefyd coluddyn llidus *eg*

isolation *mass noun* arwahanu *be*

IUD: intrauterine device dyfais fewngroth *eb* dyfeisiau mewngroth

J

jet lag lludded jet *eg*

job description disgrifiad swydd *eg* disgrifiadau swydd

job evaluation gwerthuso swydd *be*

job rating graddio swydd *be*

job specification manyleb swydd *eb* manylebau swyddi

jogging loncian *be*

journalist newyddiadurwr *eg* newyddiadurwyr

jurisprudence cyfreitheg *eb*

juvenile delinquency tramgwyddaeth yr ifanc *eb*

K

Kaposi's sarcoma sarcoma Kaposi *eg*

kidney disease clefyd yr arennau *eg* clefydau'r arennau

kleptomania cleptomania *eg*

knowledge gwybodaeth *eb*

L

labelling labelu *be*

LAN: local area network rhwydwaith ardal leol *eb* rhwydweithiau ardal leol

language iaith *eb* ieithoedd

language disorder anhwylder iaith *eg* anhwylderau iaith

law (as a system) cyfraith *eb*

lay expert arbenigwr lleyg *eg* arbenigwyr lleyg

lay health care gofal iechyd lleyg *eg*

lay out cynllunio *be*

layoff diswyddo dros dro *be*

layout cynllun *eg* cynlluniau

leaflet taflen *eb* taflenni

learning disability anabledd dysgu *eg* anableddau dysgu

learning goal nod dysgu *eg* nodau dysgu

learning process proses ddysgu *eb* prosesau dysgu

lecturer darlithydd *eg* darlithwyr

lecture darlith *eb* darlithoedd

legibility eglurder *eg*

legislation deddfwriaeth *eb*

leisure activity gweithgaredd hamdden *eg* gweithgareddau hamdden

leisure industry diwydiant hamdden *eg*

leisure time amser hamdden *eg*

leprosy leprosi *eg*

lesbian lesbiad *eb* lesbiaid

leukaemia lewcemia *eg*

life event digwyddiad bywyd *eg* digwyddiadau bywyd

life expectancy disgwyliad oes *eg*

lifeskills sgiliau bywyd *ell*

lifestyle ffordd o fyw *eb*

lifting codi *be*

line manager rheolwr llinell *eg* rheolwyr llinell

lipid lipid *eg* lipidau

listlessness llesgedd *eg*

literature review adolygiad llenyddiaeth *eg* adolygiadau llenyddiaeth

liver cancer canser yr iau/afu *eg*

liver disorder anhwylder yr iau/afu *eg* anhwylderau'r iau/afu

living conditions amodau byw *ell*

local lleol *ans*

local area network (LAN) rhwydwaith ardal leol *eb* rhwydweithiau ardal leol

local government llywodraeth leol *eb*

locus of control locws rheoli *eg*

lone parent rhiant sengl *eg* rhieni sengl

loneliness unigrwydd *eg*

longitudinal research ymchwil arhydol *eg*

long-sightedness hirolwg *eb*

long-term mental exhaustion lludded meddwl tymor hir *eg*

long-term unemployed people pobl ddi-waith tymor hir *eb*

long-term unemployment diweithdra tymor hir *eg*

love cariad *eg*

low blood pressure pwysedd gwaed isel *eg*

low density lipoprotein lipoprotein dwysedd isel *eg* lipoproteinau dwysedd isel

LSD LSD *eg*

lung cancer canser yr ysgyfaint *eg*

lupus lwpws *eg*

Lyme disease clefyd Lyme *eg*

lymphatic system disorder anhwylder y system lymffatig *eg* anhwylderau'r system lymffatig

M

magic mushrooms madarch hud *ell*

mailshot swp-lythyrau *ell*

malaria malaria *eg*

male gwryw *ans*

malign melanoma melanoma malaen *eg*

malnutrition camfaethiad *eg*

man dyn *eg* dynion

management (=managers) rheolwyr *ell*

manager rheolwr *eg* rheolwyr

manufacturing industry diwydiant gweithgynhyrchu *eg*

marijuana mariwana *eg*

marketing marchnata *be*

marriage priodas *eb* priodasau

mass communications cyfathrebu torfol *be*

mass medium cyfrwng torfol *eg* cyfryngau torfol

massage ***mass noun*** tylino *be*

mastectomy mastectomi *eg*

mastitis mastitis *eg*

masturbation ***mass noun*** mastyrbio *be*

material development (=development of materials) datblygu deunydd *be*

maternal and child health services gwasanaethau iechyd mamau a phlant *ell*

maternal and child services gwasanaethau mamau a phlant *ell*

MBD: minimal brain damage niwed minimol i'r ymennydd *eg*

MDMA: methylenedioxymethamphetamine methylenediocsymethamffetamin *eg*

ME: myalgic encephalomyopathy enceffalomyopathi myalgig *eg*

measles brech goch *eb*

measurement mesur *eg* mesuriadau

measurement technique techneg fesur *eb* technegau mesur

meat cig *eg*

meat substitute amnewidyn cig *eg* amnewidion cig

media cyfryngau *ell*

medical anthropology anthropoleg feddygol *eb*

medical ethics moeseg feddygol *eb*

medical examination archwiliad meddygol *eg* archwiliadau meddygol

medical receptionist croesawyydd meddygfa *eg* croesawyr meddygfa

medical research ymchwil meddygol *eg*

medical specialist arbenigwr meddygol *eg* arbenigwyr meddygol

medical treatment triniaeth feddygol *eb*

medicament consumption cymeriant meddyginiaethau *eg*

medicament dependency dibyniaeth ar feddyginiaethau *eb*

medicament misuse camddefnyddio meddyginiaethau *be*

medicine (=drug or preparation) moddion *eg*

medicine (science of) meddygaeth *eb*

melanoma melanoma *eg*

memory cof *eg*

meningitis llid yr ymennydd *eg*

menopause y cyfnewid *eg*

menstruation mislif *eg*

mental cruelty creulondeb meddwl *eg*

mental disorder anhwylder meddwl *eg* anhwylderau meddwl

mental health iechyd meddwl *eg*

mental health care gofal iechyd meddwl *eg*

mental health promotion hybu iechyd meddwl *be*

mental health services gwasanaethau iechyd meddwl *ell*

mental illness afiechyd meddwl *eg*

meta-analysis metaddadansoddiad *eg*

methadone methadon *eg*

method dull *eg* dulliau

methodology development datblygu methodoleg *be*

methylenedioxymethamphetamine (MDMA) methylenediocsymethamffetamin *eg*

middle aged people pobl ganol oed *eb*

midwife bydwraig *eb* bydwragedd

midwifery bydwreigiaeth *eb*

migraine meigryn *eg*

migrant ***n*** mudwr *eg* mudwyr

migration ***mass noun*** mudo *be*

military personnel personél milwrol *eg*

military services lluoedd arfog *ell*

milk product cynnyrch llaeth *eg* cynhyrchion llaeth

mineral mwyn *eg* mwynau

minimal brain damage (MBD) niwed minimol i'r ymennydd *eg*

miscarriage erthyliad naturiol *eg* erthyliadau naturiol

mobility symudedd *eg*

model model *eg* modelau

monitoring monitro *be*

morality moesoldeb *eg*

morbidity morbidrwydd *eg*

morning after pill pilsen bore wedyn *eb* pils bore wedyn

morning sickness salwch bore *eg*

mortality marwoldeb *eg*

mother mam *eb* mamau

motivation symbyliad *eg*

multicultural aspect agwedd amlddiwylliannol *eb* agweddau aml - ddiwylliannol

multicultural education addysg amlddiwylliannol *eb*

multidisciplinary research ymchwil amlddisgyblaethol *eg*

multimedia amlgyfryngau *ell*

multiple birth genedigaeth luosog *eb* genedigaethau lluosog

multiple sclerosis sglerosis gwasgaredig *eg*

mumps y dwymyn doben *eb* / clwy pennau *eg*

muscular dystrophy dystroffi'r cyhyrau *eg*

musculoskeletal disorder anhwylder cyhyrysgerbydol *eg* anhwylderau cyhyrysgerbydol

musculoskeletal system system gyhyrysgerbydol *eb*

mutual aid cydgymorth *eg*

mutual help cydgymorth *eg*

myalgia myalgia *eg*

myalgic encephalomyopathy (ME) enceffalomyopathi myalgig *eg*

myasthenia myasthenia *eg*

mycosis mycosis *eg*

myocardial infarction cnawdnychiad myocardiaidd *eg*

N

nappy rash brech clwt/cewyn *eb*

narcolepsy narcolepsi *eg*

national cenedlaethol *ans*

national curriculum cwricwlwm cenedlaethol *eg*

natural contraception atal cenhedlu naturiol *be*

needle exchange cyfnewid nodwyddau *be*

needle use defnyddio nodwyddau *be*

needs assessment asesu anghenion *be*

nervous breakdown chwalfa nerfau *eb* chwalfeydd nerfau

network ***n*** rhwydwaith *eg* rhwydweithiau

neural tube defect diffyg y tiwb nerfol *eg* diffygion y tiwb nerfol

neurological diseases and disorders afiechydon ac anhwylderau niwrolegol *ell*

neuromuscular disease clefyd niwrogyhyrol *eg* clefydau niwrogyhyrol

neurotic disorder anhwylder niwrotig *eg* anhwylderau niwrotig

nicotine dependency dibyniaeth ar nicotin *eb*

noise pollution llygredd sŵn *eg*

non-print material deunydd di-brint *eg* deunyddiau di-brint

non-profit organisation sefydliad di-elw *eg* sefydliadau di-elw

non-specific urethritis (NSU) wrethritis amhenodol *eg*

nonverbal communication cyfathrebu dieiriau *be*

not for profit organisation sefydliad ddim er elw *eg* sefydliadau ddim er elw

notifiable disease clefyd hysbysadwy *eg* clefydau hysbysadwy

NSU: non-specific urethritis wrethritis amhenodol *eg*

nuclear disaster trychineb niwclear *eb* trychinebau niwclear

nuclear family teulu niwclear *eg* teuluoedd niwclear

nurse nyrs *eb* nyrsys

nursery school ysgol feithrin *eb* ysgolion meithrin

nursing nyrsio *be*

nursing auxiliary nyrs gynorthwyol *eb* nyrsys cynorthwyol

nursing home cartref nyrsio *eg* cartrefi nyrsio

nutrition maethiad *eg*

nutrition component elfen maeth *eb* elfennau maeth

nutritional status statws maethiad *eg*

nutritional behaviour ymddygiad ynghylch maeth *eg*

nutritional deficiency diffyg maeth *eg*

nutritional education addysg maeth *eb*

nutritional status statws maeth *eg*

nutritionists maethegwr *eg* maethegwyr

nuts cnau *ell*

O

obesity gordewdra *eg*

observation *mass noun* arsylwi *be*

occupation injury anaf diwydiannol *eg* anafiadau diwydiannol

occupational disease afiechyd galwedigaethol *eg* afiechydon galwedigaethol

occupational health iechyd galwedigaethol *eg*

occupational health and safety iechyd a diogelwch galwedigaethol

occupational health care gofal iechyd galwedigaethol *eg*

occupational health nurse nyrs iechyd galwedigaethol *eb* nyrsys iechyd galwedigaethol

occupational health promotion hybu iechyd galwedigaethol *be*

occupational injury anaf galwedigaethol *eg* anafiadau galwedigaethol

occupational safety diogelwch galwedigaethol *eg*

occupational safety education addysg diogelwch galwedigaethol *eb*

occupational therapy therapi galwedigaethol *eg*

oesophageal cancer canser yr oesoffagws *eg*

offender troseddwr *eg* troseddwyr

offspring of immigrants plant mewnfudwyr *ell*

old people's home cartref hen bobl *eg* cartrefi hen bobl

older people pobl hŷn *ell*

one-to-one education addysg un-i-un *eb*

open learning dysgu agored *be*

Open University Prifysgol Agored *eb*

opinion poll pol piniwn *eg* polau piniwn

oral cancer canser y geg *eg*

oral health iechyd y geg *eg*

oral health disorder anhwylder iechyd y geg *eg* anhwylderau iechyd y geg

oral health promotion hybu iechyd y geg *be*

oral information gwybodaeth lafar *eb*

oral sex rhyw geneuol *eg*

organic nutrition maethiad organig *eg*

organisational psychology seicoleg trefniadaeth *eb*

organisation sefydliad *eg* sefydliadau

origination tarddiad *eg* tarddiadau

osteopathy osteopathi *eg*

osteoporosis osteoporosis *eg*

Ottawa charter siarter Ottawa *eg*

outpatient care gofal cleifion allanol *eg*

outreach work gwaith estyn allan *eg*

overweight gorbwysedd *eg*

ozone oson *eg*

P

paedophilia paedoffilia *eg*

painkiller cyffur lleddfu poen *eg* cyffuriau lleddfu poen

palliative care gofal lliniarol *eg*

panic attack pwl o banig *eg*

paralysis parlys *eg*

paramedic parafeddyg *eg* parafeddygon

parasitic disease clefyd parasitig *eg* clefydau parasitig

parasuicide parahunanladdiad *eg* parahunanladdiadau

parent rhiant *eg* rhieni

parent abuse cam-drin rhieni *be*

parentcraft crefft magu plant *be*

parenting magu plant *be*

parenting problem problem magu plant *eb* problemau magu plant

parents' evening noson rieni *eb* nosweithiau rhieni

Parkinson's disease clefyd Parkinson *eg*

parole work gwaith parôl *eg*

partner partner *eg* partneriaid

partner abuse cam-drin partner *be*

partnership partneriaeth *eb*

part-time employment gwaith rhan-amser *eg*

passive smoking ysmygu goddefol *be*

pastoral care gofal bugeiliol *eg*

patient claf *eg* cleifion

patient advocate eiriolwr ar ran cleifion *eg* eiriolwyr ar ran cleifion

patient choice dewis y claf *eg*

patient education addysg i gleifion *eb*

patient information gwybodaeth i gleifion *eb*

patient mediated outcome deilliant claf-gyfryngol *eg* deilliannau claf-gyfryngol

patient participation cyfranogiad cleifion *eg*

patient satisfaction boddhad cleifion *eg*

patients' association cymdeithas cleifion *eb* cymdeithasau cleifion

patients' charter siarter cleifion *eg* siarteri cleifion

patients' council cyngor cleifion *eg* cynghorau cleifion

patients' rights hawliau cleifion *ell*

pedagogy pedagogeg *eb*

pediatrics paediatreg *eb*

peer education addysg cyfoed *eb*

people with dementia pobl â dementia *ell*

people with disabilities pobl ag anableddau *ell*

people with hearing disabilities pobl ag anableddau clyw *ell*

people with learning disabilities pobl ag anableddau dysgu *ell*

people with mental disorders pobl ag anhwylderau meddwl *ell*

people with physical disabilities pobl ag anableddau corfforol *ell*

people with psychiatric disabilities pobl ag anableddau seiciatrig *ell*

people with visual disabilities pobl ag anableddau golwg *ell*

personal development datblygiad personol *eg*

personal hygiene hylendid personol *eg*

personal management rheolaeth bersonol *eb*

personal relationship perthynas bersonol *eb*

personal safety diogelwch personol *eg*

personalised information gwybodaeth wedi'i phersonoli *eb*

personality personoliaeth *eb* personoliaethau

personality disorder anhwylder personoliaeth *eg* anhwylderau personoliaeth

persuasion perswâd *eg*

pertussis pertwsis *eg*

pharmacist fferyllydd *eg* fferyllwyr

pharmacy (=dispensary) fferyllfa *eb* fferyllfeydd

pharmacy (science of) fferylliaeth *eb*

pharmacy assistant cynorthwyydd fferyllfa *eg* cynorthwywyr fferyllfa

phobic disorder anhwylder ffobig *eg* anhwylderau ffobig

physical activity gweithgaredd corfforol *eg* gweithgareddau corfforol

physical development datblygiad corfforol *eg*

physical disability anabledd corfforol *eg* anableddau corfforol

physical education addysg gorfforol *eb*

physician ffisigwr *eg* ffisigwyr

physiology ffisioleg *eb*

physiotherapist ffisiotherapydd *eb* ffisiotherapyddion

physiotherapy ffisiotherapi *eg*

pigmentation disorder anhwylder pigmentiad *eg* anhwylderau pigmentiad

pill pilsen *eb* pils

placebo plasebo *eg* plaseboau

planning cynllunio *be*

plastic surgery llawfeddygaeth blastig *eb*

playground lle chwarae *eg* llefydd chwarae

pneumonia niwmonia *eg*

poisonous substance sylwedd gwenwynig *eg* sylweddau gwenwynig

police heddlu *eg*

policy polisi *eg* polisïau

polio polio *eg*

politician gwleidydd *eg* gwleidyddion

pollution llygredd *eg*

polytechnic ***n*** coleg polytechnig *eg* colegau polytechnig

popper popiwr *eg* popwyr

population studies astudiaethau poblogaeth *ell*

post traumatic stress straen wedi trawma *eg*

poster poster *eg* posteri

postnatal care gofal ôl-eni *eg*

postnatal depression iselder ôl-eni *eg*

posture osgo *eg*

poultry da pluog *ell*

poverty tlodi *eg*

PR: public relations cysylltiadau cyhoeddus *ell*

pregnancy beichiogrwydd *eg*

pregnancy complication cymhlethdod beichiogrwydd *eg* cymhlethdodau beichiogrwydd

pregnant women merch feichiog *eb* merched beichiog

premature birth genedigaeth gynamserol *eb* genedigaethau cynamserol

pre-retirement cyn-ymddeol *ans*

pre-school child plentyn cyn-ysgol *eg* plant cyn-ysgol

press ***n*** gwasg *eb* gweisg

press officer swyddog y wasg *eg* swyddogion y wasg

pretesting cynbrofi *be*

prevention ***mass noun*** atal *be*

price pris *eg* prisiau

pricing prisio *be*

primary health care gofal iechyd cychwynnol *eg*

primary school ysgol gynradd *eb* ysgolion cynradd

printed information gwybodaeth brintiedig *eb*

printed information material deunydd gwybodaeth brintiedig *eg* deunyddiau gwybodaeth brintiedig

prison carchardy *eg* carchardai

private sector sector preifat *eg*

private transport cludiant preifat *eg*

probation care gofal prawf *eg*

probation work gwaith prawf *eg*

procedure gweithdrefn *eb* gweithdrefnau

profession proffesiwn *eg* proffesiynau

professional association cymdeithas broffesiynol *eb* cymdeithasau proffesiynol

professional education addysg broffesiynol *eb*

professional organisation sefydliad proffesiynol *eg* sefydliadau proffesiynol

professional personnel personél proffesiynol *eg*

professional practice ymarfer proffesiynol *eg*

professional profile proffil proffesiynol *eg* proffiliau proffesiynol

professional training hyfforddiant proffesiynol *eg*

prognosis prognosis *eg*

programme rhaglen *eg* rhaglenni

project project *eg* projectau

prospective studies astudiaethau arfaethedig *ell*

prostate cancer canser y prostad *eg*

prostate disease afiechyd y prostad *eg* afiechydon y prostad

prostatitis prostatitis *eg*

prostitute putain *eb* puteiniaid

prostitution puteindra *eg*

protein protein *eg* proteinau

psoriasis soriasis *eg*

psychiatric care gofal seiciatrig *eg*

psychiatric hospital ysbyty seiciatrig *eg* ysbytai seiciatrig

psychiatrist seiciatregydd *eg* seiciatregwyr

psychiatry seiciatreg *eb*

psychological work gwaith seicolegol *eg*

psychologist seicolegydd *eg* seicolegwyr

psychology seicoleg *eb*

psychopharmaceuticals seicogyffuriau *ell*

psychosocial problem problem seicogymdeithasol *eb* problemau seicogymdeithasol

psychosocial support cymorth seicogymdeithasol *eg*

psychosocial work gwaith seicogymdeithasol *eg*

psychosomatic disorder anhwylder seicosomatig *eg* anhwylderau seicosomatig

psychotherapist seicotherapydd *eg* seicotherapyddion

psychotherapy seicotherapi *eg*

psychotic disorder anhwylder seicotig *eg* anhwylderau seicotig

pub tafarn *eb* tafarnau

puberty glasoed *eg*

public health iechyd y cyhoedd *eg*

public relations (PR) cysylltiadau cyhoeddus *ell*

public relations official swyddog cysylltiadau cyhoeddus *eg* swyddogion cysylltiadau cyhoeddus

public sector sector cyhoeddus *eg*

public transport cludiant cyhoeddus *eg*

publicity cyhoeddusrwydd *eg*

pulses (food) corbys *ell*.

pupil disgybl *eg* disgyblion

pupil counsellor cynghorwr disgyblion *eg* cynghorwyr disgyblion

qualification equivalence cywerthedd cymwysterau *eg*

qualification requirement gofyniad cymwysterau *eg* gofynion cymwysterau

qualitative research ymchwil ansoddol *eg*

quality control rheoli ansawdd *be*

quality of life ansawdd bywyd *eg*

quantitative research ymchwil meintiol *eg*

questionnaire holiadur *eg* holiaduron

R

rabies y gynddaredd *eb*

radiation ymbelydredd *eg*

radiation pollution llygredd ymbelydredd *eg*

radiation protection amddiffyniad rhag ymbelydredd *eg*

radio radio *eg*

radioactive waste gwastraff ymbelydrol *eg*

random check hapwiriad *eg* hapwiriadau

randomised controlled trial (RCT) hap-brawf gyda rheolydd *eg* hapbrofion gyda rheolydd

rape *v* treisio *be*

RCT: randomised controlled trial hap-brawf rheoledig *eg* hapbrofion rheoledig

readability darllenadwyedd *eg*

receptionist croesawydd *eg* croesawyr

recruitment of participants recriwtio rhai i gymryd rhan *be*

redundancy *mass noun* colli swydd *be*

refuge house tŷ noddfa *eg* tai noddfa

refuge work gwaith noddfa *eg*

refugee ffoadur *eg* ffoaduriaid

regional rhanbarthol *ans*

regional government llywodraeth ranbarthol *eb* llywodraethau rhanbarthol

registered profession proffesiwn cofrestredig *eg* proffesiynau cofrestredig

registration *mass noun* cofrestru *be*

regular medical screening sgrinio meddygol rheolaidd *be*

regulation rheoliad *eg* rheoliadau

rehabilitation (after an illness) adferiad *eg* adferiadau

relationship perthynas *eb* perthnasoedd

relaxation exercise ymarfer ymlacio *eg* ymarferion ymlacio

reliability dibynadwyedd *eg*

religion crefydd *eb*

renal disease clefyd yr arennau *eg* clefydau'r arennau

rent boy rhentlanc *eg* rhentlanciau

research ymchwil *eg*

research centre canolfan ymchwil *eb* canolfannau ymchwil

research method dull ymchwil *eg* dulliau ymchwil

research policy polisi ymchwil *eg* polisïau ymchwil

research programme rhaglen ymchwil *eb* rhaglenni ymchwil

research project project ymchwil *eg* projectau ymchwil

research report adroddiad ymchwil *eg* adroddiadau ymchwil

residential care gofal preswyl *eg*

resin resin *eg*

respiratory disorder anhwylder resbiradol *eg* anhwylderau resbiradol

respiratory system system resbiradu *eb*

respiratory tract disease afiechyd y llwybr resbiradu *eg* afiechydon y llwybr resbiradu

responsibility cyfrifoldeb *eg* cyfrifoldebau

restaurant tŷ bwyta *eg* tai bwyta

retired people pobl wedi ymddeol *ell*

retirement ymddeoliad *eg*

retraining ailhyfforddiant *eg*

rheumatic disorder anhwylder gwynegol *eg* anhwylderau gwynegol

rhinitis rhinitis *eg*

rickets y llech *eg*

risk risg *eg* risgiau

risk factor ffactor risg *eb* ffactorau risg

risk group grŵp mewn perygl *eg* grwpiau mewn perygl

road safety diogelwch ar y ffyrdd *eg*

road safety education addysg diogelwch ar y ffyrdd *eb*

role-play chwarae rhan *be*

rubella rwbela *eg*

runaway child plentyn wedi rhedeg i ffwrdd *eg* plant wedi rhedeg i ffwrdd

S

sadomachism sadomasocistiaeth *eb*

safer sex rhyw mwy diogel *eg*

safety diogelwch *eg*

safety device dyfais ddiogelwch *eb* dyfeisiau diogelwch

safety education addysg diogelwch *eb*

safety equipment offer diogelwch *ell*

safety measure mesur diogelwch *eg* mesurau diogelwch

salary cyflog *eg* cyflogau

same-sex partnership partneriaeth un-rhyw *eb* partneriaethau un-rhyw

same-sex relationship perthynas un-rhyw *eb* perthnasoedd un-rhyw

sarcoidosis sarcoidosis *eg*

scarlet fever y dwymyn goch *eb*

school (for education) ysgol *eb* ysgolion

school counselling cynghori yn yr ysgol *be*

school dropout gwrthodwr ysgol *eg* gwrthodwyr ysgol

school health iechyd yn yr ysgol *eb*

school health promotion hybu iechyd ysgolion *be*

school health service gwasanaeth iechyd ysgolion *eg* gwasanaethau iechyd ysgolion

school subject pwnc ysgol *eg* pynciau ysgol

schoolchild plentyn ysgol *eg* plant ysgol

screening sgrinio *be*

second generation problem problem yr ail genhedlaeth *eb* problemau'r ail genhedlaeth

secondary school ysgol uwchradd *eb* ysgolion uwchradd

self-care hunanofal *eg*

self-concept hunangysyniad *eg*

self-control hunanreolaeth *eb*

self-employment hunangyflogaeth *eb*

self-esteem hunanbarch *eg*

self-examination ***mass noun*** hunanarchwilio *be*

self-harm hunan-niwed *eg*

self-help hunan-gymorth *eg*

self-help group grŵp hunangymorth *eg* grwpiau hunan-gymorth

self-image hunanddelwedd *eb*

self-medication ***mass noun*** hunanfeddyginiaethu *be*

sensory function gweithrediad synhwyraidd *eg* gweithrediadau synhwyraidd

service industry diwydiant gwasanaethu *eg* diwydiannau gwasanaethu

sex education addysg rhyw *eb*

sex tourism twristiaeth rhyw *eb*

sex worker gweithiwr rhyw *eg* gweithwyr rhyw

sexual abuse camdriniaeth rywiol *eb*

sexual behaviour ymddygiad rhywiol *eg*

sexual counselling cynghori ar ryw *be*

sexual harassment aflonyddwch rhywiol *eg*

sexual health iechyd rhywiol *eg*

sexual health promotion hybu iechyd rhywiol *eg*

sexual intercourse cyfathrach rywiol *eb*

sexual practice arfer rhywiol *eg* arferion rhywiol

sexual problem problem rywiol *eb* problemau rhywiol

sexual reproductive system system atgenhedlu rywiol *eb*

sexual violence trais rhywiol *eg*

sexuality rhywioldeb *eg*

sexually transmitted disease (STD) clefyd a drosglwyddir yn rhywiol *eg* clefydau a drosglwyddir yn rhywiol

sexually transmitted infection (STI) haint a drosglwyddir yn rhywiol *eb* heintiau a drosglwyddir yn rhywiol

sheltered accomodation llety cysgodol *eg*

shift working gweithio sifftiau *be*

shingles yr eryr *eg*

shock sioc *eb*

short term mental exhaustion gorludded meddwl tymor byr *eg*

short-sightedness byr-olwg *eg*

siblings brodyr a chwiorydd *ell*

sick building syndrome syndrom adeilad afiach *eg*

sick leave absenoldeb oherwydd salwch *eg*

sick role behaviour ymddygiad rôl salwch *eg*

sickle cell anaemia anaemia cryman-gell *eg*

sickness absence absenoldeb oherwydd salwch *eg*

sickness absence policy polisi absenoldeb oherwydd salwch *eg* polisïau absenoldeb oherwydd salwch

SIDS: sudden infant death syndrome syndrom marwolaeth sydyn babanod *eg*

single parent rhiant sengl *eg* rhieni sengl

single-parent family teulu un rhiant *eg* teuluoedd un rhiant

single person person sengl *eg* pobl sengl

singles pobl sengl *ell*

skin cancer canser y croen *eg*

skin disease afiechyd y croen *eg* afiechydon y croen

sleep cwsg *eg*

sleep deprivation colli cwsg *be*

sleeping disease clefyd cysgu *eg*

sleeping disorder anhwylder cysgu *eg* anhwylderau cysgu

slide sleid *eg* sleidiau

small scale industry diwydiant graddfa fechan *eg*

smoker ysmygwr *eg* ysmygwyr

smoking ysmygu *be*

smoking cessation stopio ysmygu *be*

smoking cessation counselling cynghori ar stopio ysmygu *be*

smoking policy polisi ysmygu *eg* polisïau ysmygu

social services gwasanaethau cymdeithasol *ell*

social anthropology anthropoleg gymdeithasol *eb*

social economic status statws economaidd gymdeithasol *eg*

social exclusion eithrio cymdeithasol *be*

social isolation arwahanu cymdeithasol *be*

social issue mater cymdeithasol *eg* materion cymdeithasol

social marketing marchnata cymdeithasol *be*

social network rhwydwaith cymdeithasol *eg* rhwydweithiau cymdeithasol

social planning cynllunio cymdeithasol *be*

social policy polisi cymdeithasol *eg* polisïau cymdeithasol

social research ymchwil cymdeithasol *eg*

social services gwasanaethau cymdeithasol *ell*

social studies astudiaethau cymdeithasol *ell*

social support cymorth cymdeithasol *eg*

social work gwaith cymdeithasol *eg*

social worker gweithiwr cymdeithasol *eg* gweithwyr cymdeithasol

socialization ***mass noun*** cymdeithasoli *be*

society cymdeithas *eb* cymdeithasau

sociology cymdeithaseg *eb*

sodium sodiwm *eg*

software meddalwedd *eg/b*

soil pollution llygredd pridd *eg*

solvent toddydd *eg* toddyddion

sorrow tristwch *eg*

spasticism sbastigiaeth *eb*

special education addysg arbennig *eb*

speech disorder anhwylder lleferydd *eg* anhwylderau lleferydd

spermicide spermleiddiad *eg* spermleiddiaid

spina bifida spina bifida *eg*

spinal cord diseases and disorders afiechydon ac anhwylderau'r madruddyn *ell*

spiritual caregiver gofalydd ysbrydol *eg* gofalwyr ysbrydol

spontaneous abortion erthyliad naturiol *eg* erthyliadau naturiol

sport chwaraeon *ell*

sports injury anaf chwaraeon *eg* anafiadau chwaraeon

sports medicine meddygaeth chwaraeon *eb*

squint llygaid croes *ell*

starch starts *eg*

statistical research ymchwil ystadegol *eg*

statute statud *eg* statudau

STD: sexually transmitted disease afiechyd a drosglwyddir yn rhywiol *eg* afiechydon a drosglwyddir yn rhywiol

step family llysdeulu *eg* llysdeuluoedd

sterilization (of reproductive process) ***mass noun*** anffrwythloni *be*

STI: sexually transmitted infection haint a drosglwyddir yn rhywiol *eb* heintiau a drosglwyddir yn rhywiol

sticker sticer *eg* sticeri

stillbirth marw-enedigaeth *eb*

stimulant symbylydd *eg* symbylyddion

stoma stoma *eg* stomau

stomach cancer canser y stumog *eg*

strategy strategaeth *eb* strategaethau

streetwork gwaith ar y stryd *eg*

stress straen *eg*

stroke strôc *eg*

structure strwythur *eg* strwythurau

student myfyriwr *eg* myfyrwyr

stutter atal dweud *be*

substance misuse camddefnyddio sylweddau *be*

sudden infant death syndrome (SIDS) syndrom marwolaeth sydyn babanod *eg*

sugar siwgr *eg* siwgrau

suicide hunanladdiad *eg* hunanladdiadau

sun haul *eg*

sunburn llosg haul *eg*

supernational goruwchgenedlaethol *ans*

supervision goruchwyliaeth *eb*

surgery (=branch of medicine) llawfeddygaeth *eb*

surveillance gwyliadwriaeth *eb*

surviving next of kin perthynas agosaf sy'n fyw *eg*

sweatshop gweithdy cyflog isel *eg* gweithdai cyflog isel

sweets melysion *ell*

swimming nofio *be*

symposia symposia *eg*

symptom symptom *eg* symptomau

syphilis siffilis *eg*

system systemau *eb* systemau

T

target group grŵp targed *eg* grwpiau targed

taxation trethiant *eg*

TB TB *eg*

teacher athro/athrawes *eg/b* athrawon

teaching material development datblygu deunyddiau dysgu *be*

teaching material deunydd dysgu *eg* deunyddiau dysgu

teaching method dull dysgu *eg* dulliau dysgu

teamwork gwaith tîm *eg*

technique for breaking bad news techneg torri newyddion drwg *eb* technegau torri newyddion drwg

technology technoleg *eb*

teenage father tad yn ei arddegau *eg* tadau yn eu harddegau

teenage mother mam yn ei harddegau *eb* mamau yn eu harddegau

teenage parent rhiant yn ei arddegau *eg* rhieni yn eu harddegau

telecommunications industry diwydiant telathrebu *eg*

telephone circle cylch ffôn *eg* cylchoedd ffôn

telephone hotline llinell frys *eb* llinellau brys

television teledu *eg*

terminal care gofal terfynol *eg*

testicular cancer canser y gaill *eb*

thalassaemia thalasaemia *eg*

theatre theatr *eb* theatrau

theory ***mass noun*** theori *eb*

therapy therapi *eg* therapïau

third generation problem problem y drydedd genhedlaeth *eb* problemau'r drydedd genhedlaeth

throat cancer canser y gwddf *eg*

thrombosis thrombosis *eg*

thrush (=candidiasis) y llindag *eb*

thyroid cancer canser y thyroid *eg*

thyroid disorder anhwylder y thyroid *eg* anhwylderau'r thyroid

tinnitus tinitws *eg*

tobacco baco *eg*

tobacco use defnyddio baco *be*

toddlers plantos *ell*

tolerance (in behaviour) goddefgarwch *eg*

tonsillitis tonsilitis *eg*

tourist ymwelydd *eg* ymwelwyr

tourist industry diwydiant ymwelwyr *eg*

toxoplasmosis tocsoplasmosis *eg*

toy tegan *eg* teganau

trace element elfen hybrin *eb* elfennau hybrin

trade union undeb llafur *eg* undebau llafur

trading masnachu *be*

tradition traddodiad *eg* traddodiadau

traffic accident damwain drafnidiaeth *eb* damweiniau trafnidiaeth

traffic regulation rheoliad trafnidiaeth *eg* rheoliadau trafnidiaeth

tranquillizer tawelydd *eg* tawelyddion

transplantation trawsblaniad *eg* trawsblaniadau

transport cludiant *eg*

transport industry diwydiant cludiant *eg*

transsexuality trawsrywioldeb *eg*

transsexuals trawsrywiolion *ell*

traveller teithiwr *eg* teithwyr

travelling teithio *be*

tropical disease afiechyd trofannol *eg* afiechydon trofannol

truancy ***mass noun*** triwanta *be*

tuberculosis tiwberciwlosis *eg*

tuberous sclerosis sglerosis clorog *eg*

type A behaviour ymddygiad teip A *eg*

type B behaviour ymddygiad teip B *eg*

U

underprivileged people pobl ddifreintiedig *eb*

understanding dealltwriaeth *eb*

underweight pwysau isel *ans*

unemployed people pobl ddi-waith *eb*

unemployment diweithdra *eg*

university prifysgol *eb* prifysgolion

unwanted pregnancy beichiogrwydd digroeso *eg*

urinary incontinence anymataliad wrinol *eg*

urinary system system wrinol *eb*

urinary tract disease afiechyd y llwybr wrinol *eg* afiechydon y llwybr wrinol

urinary tract infection heintiad y llwybr wrinol *eg*

V

vaccination *mass noun* brechu *be*

vaginal discharge arllwysiad o'r wain *eg*

validity dilysrwydd *eg*

vandalism fandaliaeth *eb*

variable external influence dylanwad allanol newidiol *eg* dylanwadau allanol newidiol

varicella farisela *eg*

varicose vein gwythïen faricos *eb* gwythiennau faricos

vascular disease clefyd fasgiwlar *eg* clefydau fasgiwlar

vasectomy fasectomi *eg*

VD: venereal disease afiechyd gwenerol *eg* afiechydon gwenerol

VDU: visual display unit uned arddangos weledol *eb* unedau arddangos gweledol

vegetable llysieuyn *eg* llysiau

vegetarian nutrition maethiad bwydlysieuol *eg*

vegetarianism bwydlysieuaeth *eb*

venereal disease (VD) clefyd gwenerol *eg* clefydau gwenerol

venous insufficiency annigonoldeb gwythiennol *eg*

ventilation awyriad *eg*

very old people pobl hen iawn *ell*

victim dioddefwr *eg* dioddefwyr

videocassette casét fideo *eg* casetiau fideo

videotape tâp fideo *eg* tapiau fideo

violence trais *eg*

vision disorder anhwylder y golwg *eg* anhwylderau'r golwg

visual display unit (VDU) uned arddangos weledol *eb* unedau arddangos gweledol

vitamin fitamin *eg* fitaminau

vitamin deficiency diffyg fitaminau *eg*

vitamin group A grŵp fitaminau A *eg*

vitamin group B grŵp fitaminau B *eg*

vitamin group C grŵp fitaminau C *eg*

vitamin group D grŵp fitaminau D *eg*

vitamin group E grŵp fitaminau E *eg*

vitamin group K grŵp fitaminau K *eg*

vitiligo fitiligo *eg*

vocational training hyfforddiant galwedigaethol *eg*

vocational education addysg alwedigaethol *eb*

voluntary work gwaith gwirfoddol *eg*

voluntary organisation mudiad gwirfoddol *eg* mudiadau gwirfoddol

voluntary sector sector gwirfoddol *eg*

voluntary work gwaith gwirfoddol *eg*

volunteer gwirfoddolwr *eg* gwirfoddolwyr

W

waiting area man aros *eg* mannau aros

walking cerdded *be*

war victim dioddefwr rhyfel *eg* dioddefwyr rhyfel

wart dafaden *eb* dafadennau

waste ***n*** gwastraff *eg*

waste disposal gwaredu gwastraff *be*

waste recycling ailgylchu gwastraff *be*

water dŵr *eg*

water accident damwain ddŵr *eb* damweiniau dŵr

water pollution llygredd dŵr *eg*

weight pwysau *ell*

weight training hyfforddiant codi pwysau *eg*

wellness iechyd da *eg*

West Indies India'r Gorllewin *eb*

whiplash chwiplach *eg*

whooping cough y pas *eg*

wide area network rhwydwaith ardal eang *eg* rhwydweithiau ardal eang

widower gŵr gweddw *eg* gwŷr gweddw

widow gwraig weddw *eb* gwragedd gweddw

woman gwraig *eb* gwragedd

women's refuge house tŷ noddfa i ferched *eg* tai noddfa i ferched

work addiction caethiwed i waith *eg*

work environment amgylchedd gwaith *eg*

worker gweithiwr *eg* gweithwyr

workers' council cyngor y gweithwyr *eg* cynghorau gweithwyr

working conditions amodau gwaith *ell*

working terms telerau gwaith *ell*

workplace man gwaith *eg* mannau gwaith

workplace health promotion hybu iechyd yn y man gwaith *be*

workshop gweithdy *eg* gweithdai

worms (=intestinal parasites) llyngyr *ell*

wound clwyf *eg* clwyfau

Y

young adult oedolyn ifainc *eg* oedolion ifainc

young worker gweithiwr ifanc *eg* gweithwyr ifanc

youth club clwb ieuenctid *eg* clybiau ieuenctid

youth unemployment diweithdra'r ifainc *eg*

youth work gwaith ieuenctid *eg*

Z

zoonese swnes *eg* swnesau

Strwythur Macro

Macro Structure

STRWYTHUR MACRO

I Gwyddoniaeth, strategaethau a pholisi

10100 Hyrwyddo iechyd ac addysg
10200 Disgyblaethau perthynol
10300 Polisi
10400 Proffesiwn
10500 Ymchwil
10600 Methodoleg

II Sefyllfaoedd

20100 Gofal iechyd
20200 Hunangymorth a mudiadau cleifion
20300 Man gwaith
20400 Addysg
20500 Cymuned, gwasanaethau cymdeithasol, lles

III Materion / Topigau

30100 Iechyd
30200 Iechyd Meddwl
30300 Caethiwed
30400 Cynllunio teulu a iechyd rhywiol
30500 Amgylchedd, amodau byw
30600 Diogelwch
30700 Maeth
30800 Materion cymdeithasol
30900 Gweithgaredd corfforol a chwaraeon
31000 Gweithrediadau a phrosesau'r corff

MYNEGEION

4000 Termau Atodol

5000 Grwpiau Targed

10100 HYBU IECHYD AC ADDYSG

ADDYSG CYN-GENI
ADDYSG I GLEIFION
ADDYSG IECHYD
AGWEDD GYFANNOL
ANSAWDD BYWYD
CREDOAU IECHYD
CYDSYNIAD DEALLUS
CYDYMFFURFIAD
CYNGHREIRIAU IACH
CYNNAL YMDDYGIAD IECHYD
DIGWYDDIADAU BYWYD
DINASOEDD IACH
DYLANWADAU ALLANOL NEWIDIOL
FFORDD O FYW
GWYBODAETH I GLEIFION
HUNANREOLAETH
HYBU IECHYD
HYBU IECHYD MEDDWL
HYBU IECHYD RHYWIOL
HYBU IECHYD Y GEG
HYBU IECHYD YSGOLION
HYLENDID PERSONOL
IECHYD
IECHYD CYMUNED
IECHYD DA
IECHYD GALWEDIGAETHOL
IECHYD I BAWB
IECHYD MEDDWL
IECHYD RHYWIOL
IECHYD Y CYHOEDD
IECHYD Y GEG
IECHYD YN YR YSGOL
IECHYD YR AMGYLCHEDD
LLEIHAU NIWED
MODELAU CREDO IECHYD
MODELAU HYBU IECHYD
NEGESEUON IECHYD
NEWID AGWEDD
NEWID YMDDYGIAD
SGILIAU BYWYD
SIARTER OTTAWA
TARGEDI IECHYD
YMDDYGIAD IECHYD
YMYRIADAU IECHYD

10200 DISGYBLAETHAU PERTHYNOL

AGWEDDAU
ATALIAD
ANTHROPOLEG
ANTHROPOLEG FEDDYGOL
ANTHROPOLEG GYMDEITHASOL
ARFER
CARIAD
CASINEB
COF
CRED
CYFATHREBU
CYFATHREBU DIEIRIAU
CYMDEITHASEG
DATBLYGIAD PLANT
DEALLUSRWYDD
DEINTYDDIAETH
DELWEDD CORFF
DIDACTEG
DIFATERWCH
DIWYLLIANT
DYNAMEG GRŴP
EMOSIWN
FFERYLLIAETH
GWEITHREDIAD GWYBYDDOL
GALAR
GODDEFGARWCH

GWEITHREDIADAU SYNHWYRAIDD
GWYBODAETH
GWYDDORAU YMDDYGIAD
GYNAECOLEG
HUNANGYSYNIAD
HYBLYGRWYDD
IAITH
MEDDYGAETH
OFN
PAEDIATREG
PEDAGOGEG
PERSONOLIAETH
PROBLEM YMDDYGIAD
SEICIATREG
SEICOLEG
SEICOLEG DATBLYGIAD
SEICOLEG TREFNIADAETH
SEICOLEG YMDDYGIAD
SGILIAU RHYNGBERSONOL
SYMBYLIAD
THEORI ADDYSG
TRADDODIAD
YMDDYGIAD
YMDDYGIAD TEIP A
YMDDYGIAD TEIP B
YMDDYGIAD RÔL SALWCH

10300 POLISI

ARCHWILIAD
ARIANNU
COMISIWN EWROPEAIDD
COSTEFFEITHIOLRWYDD
CYFRAITH
CYFRAITH RYNGWLADOL
CYFREITHEG
CYLLIDEB
CYNLLUNIO
CYNLLUNIO CYMDEITHASOL
CYNLLUNIO IECHYD
CYNLLUNIO IECHYD RHYNGWLADOL
DADANSODDIAD BUDD-GOST
DEDDFWRIAETH
DEDDFWRIAETH CYFLOGAETH
DEDDFWRIAETH IECHYD
ECONOMEG
ECONOMEG IECHYD
IAWNDERAU DYNOL
LLYWODRAETH
LLYWODRAETH GANOL
LLYWODRAETH LEOL
LLYWODRAETH RANBARTHOL
MARCHNATA
POLISI
POLISI CYMDEITHASOL
POLISI IECHYD
PRISIADAU
PRISIO
RHEOLAETH ADNODDAU DYNOL
SECTOR BREIFAT
SECTOR GYHOEDDUS
SECTOR WIRFODDOL
SEFYDLIAD RHYNGWLADOL
SYSTEM ECONOMEG
TRETHIANT
UNDEB EWROPEAIDD
YSFA GYSTADLEUOL

10400 PROFFESIWN

ADDYSG ALWEDIGAETHOL
CYFLOGAU
CYWERTHEDD CYMWYSTERAU
DATBLYGU GYRFA

DISGRIFIAD SWYDD

GOFYNION CYMWYSTERAU

GWAITH TÎM

GWEITHWYR PROFFESIYNOL HYBU IECHYD

GWERTHUSO SWYDD

HYFFORDDIANT GALWEDIGAETHOL

HYFFORDDIANT PROFFESIYNOL

PERSONÉL PROFFESIYNOL

PROFFESIYNAU

PROFFESIYNAU COFRESTREDIG

PROFFIL PROFFESIYNOL

YMARFER PROFFESIYNOL

CD 10500 YMCHWIL

ARBROFION

ARSYLWI

ASESU ANGHENION

ASTUDIAETHAU ACHOS

ASTUDIAETHAU DICHONOLRWYDD

ASTUDIAETHAU CARFAN

ASTUDIAETHAU ARFAETHEDIG

ASTUDIAETHAU CYMHAROL

ASTUDIAETHAU POBLOGAETH

CANOLFANNAU YMCHWIL

CASGLU DATA

CYFRADD GENEDIGAETHAU

CYFRADD MARWOLAETHAU

CYNBROFI

DANGOSYDDION IECHYD

DEMOGRAFFEG

DIBYNADWYEDD

DILYSRWYDD

DISGWYLIAD OES

DULLIAU YMCHWIL

EFFEITHIOLRWYDD

EPIDEMIOLEG

FFACTORAU RISG

GRWPIAU RHEOLYDD

GRWPIAU MEWN PERYGL

GWERTHUSO

HAPBROFION GYDA RHEOLYDD

HAPWIRIAD

MARWOLDEB

MESUR

METADDADANSODDIAD

METHODOLEG GRŴP FFOCWS

MONITRO

MORBIDRWYDD

POLAU PINIWN

POLISI YMCHWIL

PROJECTAU YMCHWIL

RHAGLENNI YMCHWIL

RHEOLI ANSAWDD

TECHNEGAU MESUR

YMARFER AR SAIL TYSTIOLAETH

YMCHWIL

YMCHWIL YSTADEGOL

YMCHWIL ANSODDOL

YMCHWIL ARHYDOL

YMCHWIL CYMDEITHASOL

YMCHWIL CYMHWYSOL

YMCHWIL GWEITHREDOL

YMCHWIL MAES

YMCHWIL MEDDYGOL

YMCHWIL MEINTIOL

YMCHWIL RHYNGADRANNOL

YMCHWIL RHYNGDDIWYLLIANNOL

YMCHWIL SYLFAENOL

10600 METHODOLEG

ADDYSG CYFOED

ADDYSG RHYW-BENODOL

AMLGYFRWNG
ANGEN AM WYBODAETH
ARDDANGOSFEYDD
BYRDDAU BWLETIN
CHWARAE RHAN
CORFFORAETH DDARLLEDU
CORFFORAETHAU DARLLEDU ADDYSGOL
CORFFORAETHAU DARLLEDU YSBYTY
CYFATHREBU TORFOL
CYFRYNGAU RHYNGWEITHIOL
CYFRYNGAU TORFOL
CYMATHU GWYBODAETH
CYNGHORI
CYNADLEDDAU
CYSYLLTIADAU CYHOEDDUS
DARLITHIAU
DARLLENADWYEDD
DATBLYGU DEUNYDD
DATBLYGU METHODOLEG
DEUNYDD DI-BRINT
DEUNYDD GWYBODAETH BRINTIEDIG
DEUNYDDIAU CLYWELED
DYLUNIO
E-BOST
FFEIRIAU GWYBODAETH
GEMAU
GWAITH AR Y STRYD
GWAITH ESTYN ALLAN
GWASG
GWEITHDAI
GWYBODAETH BRINTIEDIG
GWYBODAETH GYMUNEDOL
GWYBODAETH I GRWPIAU
GWYBODAETH LAFAR
GWYBODAETH WEDI'I PHERSONOLI
HYSBYSEBU
LLEDAENU GWYBODAETH
LLYFRAU
LLYFRYNNAU
METHODOLEG GWYBODAETH
MODELAU ARDDANGOS
RADIO
RECRIWTIO RHAI I GYMRYD RHAN
RHWYDWEITHIAU ARDAL EANG
RHWYDWEITHIAU ARDAL LEOL
RHWYDWEITHIAU CYFRIFIADUROL
RHYNGRWYD
SLEIDIAU
TAFLENNI
TAPIAU FIDEO
TAPIAU SAIN
TECHNEGAU TORRI NEWYDDION DRWG
TECHNEGAU TRAFOD
TEGANAU
TELEDU
THEATR
TRAFODAETH
TRAFODAETH GRŴP
YMDDYGIAD CEISIO GWYBODAETH
YMGYRCH GWYBODAETH

20100 GOFAL IECHYD

BYDWREIGIAETH
CARTREFI NYRSIO
CLINIGAU
DERBYN I YSBYTY
FFERYLLFEYDD
GOFAL PRESWYL
GOFAL CLEIFION ALLANOL
GOFAL CYN-GENI
GOFAL DYDD
GOFAL IECHYD CYCHWYNNOL
GOFAL IECHYD DEINTYDDOL
GOFAL IECHYD DEINTYDDOL PLANT

GOFAL IECHYD MEDDWL

GOFAL IECHYD MEDDWL YN Y GYMUNED

GOFAL LLINIAROL

GOFAL ÔL-ENI

GOFAL SEICIATRIG

GOFAL TERFYNOL

GOFAL YN Y CARTREF

GWASANAETH CYFARWYDDO PLANT

GWASANAETH IECHYD

GWASANAETH IECHYD PLANT

GWASANAETH IECHYD YSGOLION

GWASANAETHAU IECHYD MEDDWL

GWASANAETHAU MAMAU A PHLANT

HOSPIS

IMIWNEIDDIO

MANNAU AROS

MEDDYGAETH TEULU

NYRSIO

NYRSIO ARDAL

NYRSIO IECHYD MEDDWL YN Y GYMUNED

NYRSIO YN Y GYMUNED

ÔL-OFAL

RHYDDHAU O YSBYTY

SGRINIO DATBLYGIAD

YMYRRYD MEWN ARGYFWNG

YSBYTAI

YSBYTAI PLANT

YSBYTAI SEICIATRIG

20200 HUNAN GYMORTH A MUDIADAU CLEIFION

BODDHAD CLEIFION

CWYNION

CYDGYMORTH

CYFRANOGIAD CLEIFION

CYFRANOGIAD CYMUNED

CYLCHOEDD FFÔN

CYMDEITHASAU CLEIFION

CYMORTH BYDI

CYMORTH CYMDEITHASOL

CYNGHORAU CLEIFION

DEILLIANT IECHYD

DEWIS Y CLAF

EIRIOLAETH

GOFAL IECHYD LLEYG

GRWPIAU HUNANGYMORTH

GRWPIAU TRAFOD

GWAITH GWIRFODDOL

GWASANAETHAU GWYBODAETH A CHYNGOR YN Y GYMUNED

GWASANAETH GWYBODAETH IECHYD

GWEITHREDU CYMUNEDOL

HAWLIAU CLEIFION

HUNANARCHWILIO

HUNANGYMORTH

HUNANOFAL

HYFFORDDIANT PENDANTRWYDD

LLINELLAU BRYS

LLINELLAU CYMORTH

MUDIADAU GWIRFODDOL

PENDANTRWYDD

PERTHYNAS MEDDYG-CLAF

PROJECTAU IECHYD CYMUNED

RHOI GRYM

RHWYDWAITH CYMDEITHASOL

SGRINIO

SIARTERI CLEIFION

SIOPAU IECHYD

20300 MAN GWAITH

ABSENOLDEB OHERWYDD SALWCH

AMGYLCHEDD GWAITH

AMODAU CYFLOGAETH

AMODAU GWAITH

ANABL I WEITHIO

CLUDIANT

CLUDIANT CYHOEDDUS

COLLI SWYDD

CYFLOGAETH

CYFLOGAETH YSBEIDIOL

CYFLOGAETH LAWN-AMSER

CYMDEITHASAU

CYNYMDDEOL

DISCOTECIAU

DIWEITHDRA

DIWEITHDRA TYMOR HIR

DIWEITHDRA'R IFAINC

DIWYDIANT

DIWYDIANT ADEILADU

DIWYDIANT AMAETHYDDOL

DIWYDIANT ARLWYO

DIWYDIANT BWYD

DIWYDIANT CLUDIANT

DIWYDIANT GRADDFA FECHAN

DIWYDIANT GWASANAETHU

DIWYDIANT GWEITHGYNHYRCHU

DIWYDIANT HAMDDEN

DIWYDIANT PYSGOTA

DIWYDIANT TELATHREBU

DIWYDIANT YMWELWYR

ERGONOMEG

FFREUTURAU

GOFAL IECHYD GALWEDIGAETHOL

GWAITH RHAN-AMSER

GWEITHIO SIFFTIAU

IECHYD A DIOGELWCH GALWEDIGAETHOL

LLUOEDD ARFOG

MAN GWAITH

POLISI ABSENOLDEB OHERWYDD SALWCH

RHEOLWYR

SEFYDLIADAU

SEFYDLIADAU DI-ELW

SEFYDLIADAU PROFFESIYNOL

TAFARNAU

TAI BWYTA

UNDEBAU LLAFUR

YMDDEOLIAD

20400 ADDYSG

ADDYSG

ADDYSG AMLDDIWYLLIANNOL

ADDYSG ARBENNIG

ADDYSG DIOGELWCH AR Y FFYRDD

ADDYSG ENWADOL

ADDYSG GORFFOROL

ADDYSG GRŴP

ADDYSG OEDOLION

ADDYSG RHYW

ADDYSG SYLFAENOL I OEDOLION

ADDYSG UN-I-UN

AILHYFFORDDI

ANLLYTHRENNEDD

ASTUDIAETHAU ADDYSG IECHYD

ASTUDIAETHAU CYMDEITHASOL

ASTUDIAETHAU'R AMGYLCHEDD

BIOLEG

COLEGAU ADDYSG UWCH

CWRICWLWM CENEDLAETHOL

CYFUNDREFNAU ADDYSGOL

CYNGHORI YN YR YSGOL

DATBLYGU DEUNYDDIAU DYSGU

DEUNYDDIAU DYSGU

DULLIAU DYSGU

DYSGU AGORED

DYSGU O BELL

DYSGU TRWY BROFIAD

NOSWEITHIAU RHIENI

PROSES DDYSGU

PYNCIAU YSGOL

SAFONAU ADDYSGOL

SEFYLLFAOEDD ADDYSGOL

TRIWANTA

YSGOLION

YSGOLION MEITHRIN

YSGOLION CYNRADD

YSGOLION UWCHRADD

20500 CYMUNED, GWASANAETHAU CYMDEITHASOL, LLES

CARTREFI HEN BOBL

CEFNOGAETH DEULUOL

CLYBIAU IEUENCTID

CYMDEITHASOLI

GOFAL I BOBL ANABL

GOFAL TEULU

GOFAL YR HENOED

GWAITH CYMDEITHASOL YN Y GYMUNED

GWAITH GYDA'R DIGARTREF

GWAITH IEUENCTID

GWAITH NODDFA

GWAITH OEDOLION

GWAITH PARÔL

GWAITH PRAWF

GWAITH SEICOGYMDEITHASOL

GWASANAETH I'R CAETH

GWASANAETHAU CYMDEITHASOL

TAI NODDFA I FERCHED

TAI NODDFA

30100 PROBLEMAU IECHYD

BALNEOTHERAPI

DIFFYG IMIWNEDD

HERPES SIMPLECS

ACIWBIGO

ACNE

AFIECHYD CRONIG

AFIECHYD GALWEDIGAETHOL

AFIECHYDON AC ANHWYLDERAU'R MADRUDDYN

AFIECHYDON PLENTYNDOD

AFIECHYDON TROFANNOL

AFIECHYDON Y CROEN

AFIECHYDON Y FRON

AFIECHYDON Y LLWYBR TREULIO

AFIECHYDON Y LLWYBR WRINOL

AFIECHYDON Y PROSTAD

AFIECHYDON YR YMENNYDD

AFFASIA

AFIECHYDON AC ANHWYLDERAU NIWROLEGOL

AIDS

ALECSIA

ALERGEDDAU

ALERGEDD BWYD

ALERGEDD CYFFWRDD

ALS

ANABLEDDAU

ANABLEDDAU CORFFOROL

ANAEMIA

ANAEMIA CRYMAN-GELL

ANAESTHESIA

ANAFIADAU

ANAFIADAU GALWEDIGAETHOL

ANAFIADAU I'R PEN

ANALLUEDD

ANGINA PECTORIS

ANHWYLDERAU CROMOSOMAIDD

ANHWYLDERAU CYHYRYSGERBYDOL

ANHWYLDERAU CYNHENID

ANHWYLDERAU ENDOCRIN
ANHWYLDERAU GWYNEGOL
ANHWYLDERAU GYNAECOLEGOL
ANHWYLDERAU IAITH
ANHWYLDERAU IECHYD Y GEG
ANHWYLDERAU IMIWNEDD
ANHWYLDERAU LLEFERYDD
ANHWYLDERAU PIGMENTIAD
ANHWYLDERAU RESBIRADOL
ANHWYLDERAU TYFU
ANHWYLDERAU'R CLYW
ANHWYLDERAU'R GOLWG
ANHWYLDERAU'R GWAED
ANHWYLDERAU'R LLYGAD
ANHWYLDERAU'R SYSTEM LYMFFATIG
ANHWYLDERAU'R THYROID
ANHWYLDERAU'R IAU/AFU
ANNIGONOLDEB GWYTHIENNOL
ANNWYD CYFFREDIN
ANYMATALIAD WRINOL
ANYMATALIAD YSGARTHION
ARCHWILIADAU MEDDYGOL
ARLLWYSIAD O'R WAIN
ARTHRITIS
ARTHROSIS
ASTHMA
BRECH CLWT/CEWYN
BRECH GOCH
BRECH YR IEIR
BRONCITIS
BYDDARDOD
BYDDARDOD-DALLINEB
BYR-OLWG
CANDIDIASIS
CANSER
CANSER BRONCIOL
CANSER CERFIGOL
CANSER Y BLEDREN
CANSER Y COLUDDYN
CANSER Y CROEN
CANSER Y FRON
CANSER Y GAILL
CANSER Y GEG
CANSER Y GWDDF
CANSER Y PROSTAD
CANSER Y STUMOG
CANSER Y THYROID
CANSER YR IAU/AFU
CANSER YR OESOFFAGWS
CANSER YR YSGYFAINT
CARREG Y BUSTL
CATARACT
CEMOTHERAPI
CIROPRACTEG
CHWIPLACH
CLAMYDIA
CLEFYDAU
CLEFYDAU A DROSGLWYDDIR YN RHYWIOL
CLEFYD ALZHEIMER
CLEFYDAU CARDIOFASGIWLAR
CLEFYDAU'R GENITALIA
CLEFYD COELIAG
CLEFYD COLUDDYN LLIDUS
CLEFYDAU CORONAIDD Y GALON
CLEFYD CREUTZFELDT JACOB
CLEFYD CROHN
CLEFYDAU FASGIWLAR
CLEFYD HODGKIN
CLEFYDAU HYSBYSADWY
CLEFYD LYME
CLEFYD PARKINSON
CLEFYD NIWROGYHYROL
CLEFYDAU PARASITIG
CLEFYDAU TROSGLWYDDADWY
CLEFYDAU'R ARENNAU
CLWYFAU

CLWY'R GWAIR
COLLI GWALLT
COREA HUNTINGTON
CRŴP
CUR PEN
CYFFUR LLEDDFU POEN
CYMHLETHDOD BEICHIOGRWYDD
CYMORTH CYNTAF
DEFAID
DEFAID GWENEROL
DALLINEB
DALLINEB LLIW
DEMENTIA
DIABETES
DIAGNOSIS
DIFFTHERIA
DYSLECSIA
DYSTROFFI'R CYHYRAU
ECLAMPSIA
ECSEMA
EMFFYSEMA
ENIWRESIS
ENT
EPILEPSI
ERTHYLIAD NATURIOL
FFISIOTHERAPI
FFLIW
GENEDIGAETH GYNAMSEROL
GLAWCOMA
GOFAL MEDDYGOL BRYS
GOITR
GORBWYSEDD
GORTHYROIDEDD
GORTHYROIDEDD GWAHANIAETHU
GWYTHIENNAU FARICOS
HAEMOFFILIA
HAEMOROIDAU
HEINTIAU FFWNGAIDD
HEINTIAD HIV
HEPATITIS A
HEPATITIS B
HERPES
HERPES GWENEROL
HIROLWG
HOMEOPATHI
HUNANFEDDYGINIAETHU
HYDROCEFFALWS
HYPNOSIS
HYPNOTHERAPI
HYPOCONDRIA
ISTHYROIDEDD
LEPROSI
LEWCEMIA
LLAU PEN
LLAWFEDDYGAETH BLASTIG
LLAWFEDDYGAETH
LLID Y DEINTIG
LLID Y GYFBILEN
LLID YR YMENNYDD
LLOSGIADAU
LLOSG HAUL
LLYGAID CROES
LLYNGYR
LLYSIEUAETH FEDDYGOL
MALARIA
MARW-ENEDIGAETH
MASTECTOMI
MASTITIS
ME
MEIGRYN
MODDION
MYALGIA
NARCOLEPSI
NIWED I'R YMENNYDD
NIWMONIA
OERNI RHYWIOL

OFFER I BOBL ANABL

OSTEOPATHI

OSTEOPOROSIS

PARLYS

PARLYS CEREBROL

PERTWSIS

PESYCHU

PLASEBO

POEN CEFN

POLIO

PRAWF FFRWYTHLONDEB

PROBLEM RYWIOL

PROSTATITIS

PYDREDD

PYDREDD DEINTYDDOL

RHINITIS

RWBELA

SALWCH BORE

SARCOMA KAPOSI

SEICOGYFFURIAU

SEICOTHERAPI

SENSITIFEDD I AMALGAM

SGLEROSIS CLOROG

SGLEROSIS GWASGAREDIG

SGLEROSIS OCHROL AMYOTROFFIG

SGRINIO MEDDYGOL RHEOLAIDD

SIFFILIS

SIOC

SORIASIS

SPINA BIFIDA

SPONDYLITIS YMASIOL

STOMA

STRÔC

SWNES

SYMPTOMAU

SYNDROM ALCOHOL Y FFETWS

SYNDROM DOWN

SYNDROM MARWOLAETH SYDYN BABANOD

SYSTEM ATGENHEDLU RYWIOL

SYSTEM DREULIO

SYSTEM RESBIRADU

SYSTEM WRINOL

TAFLOD HOLLT

TARWDEN Y TRAED

TINITWS

TIWBERCIWLOSIS

TIWMOR AR YR YMENNYDD

TOCSOPLASMOSIS

TONSILITIS

TORASGWRN

TRALLWYSIADAU GWAED

TRAWIAD AR Y GALON

TRAWSBLANIAD

TRINIAETH FEDDYGOL

TRWM EU CLYW

TWYMYN

TWYMYN Y CHWARENNAU

TYLINO

THALASAEMIA

THERAPI GALWEDIGAETHOL

THERAPI GRŴP

THERAPI YMDDYGIAD

THROMBOSIS

Y DWYMYN DOBEN / CLWY PENNAU

Y DWYMYN GOCH

Y GYNDDAREDD

Y LLECH

YNYSIAD

YR ERYR

30200 PROBLEMAU IECHYD MEDDWL

ADHD

AFIECHYD MEDDWL

AGORAFFOBIA

ANABLEDDAU DYSGU
ANORECSIA NERFOSA
ANHWYLDERAU BWYTA
ANHWYLDERAU CYFATHREBU
ANHWYLDERAU CYSGU
ANHWYLDERAU DATBLYGIAD
ANHWYLDERAU FFOBIG
ANHWYLDERAU NIWROTIG
ANHWYLDERAU PERSONOLIAETH
ANHWYLDERAU SEICOSOMATIG
ANHWYLDERAU SEICOTIG
ANHWYLDERAU YMDDYGIAD
AWTISTIAETH
BWLIMIA NERFOSA
BWLIO
CHWALFA NERFAU
CLEPTOMANIA
COLLI CWSG
CYNGHORI AR STOPIO YSMYGU
CYNGHORI MEWN PROFEDIGAETH
CYNGOR Y GWEITHWYR
CYMORTH SEICOGYMDEITHASOL
GOSOD MEWN YSBYTY
HEPATITIS C
HUNANLADDIAD
HUNAN-NIWED
INSOMNIA
ISELDER
ISELDER AR ÔL Y GENI
MEDDYGAETH GYFLENWOL
OFN METHU
PARAHUNANLADDIAD
PLWC PANIG
PROBLEMAU MAGU PLANT
PROBLEMAU SEICOGYMDEITHASOL
PROFEDIGAETH
SEFYDLIADEIDDIO
STRAEN
STRAEN WEDI TRAWMA
SYNDROM CHWYTHU PLWC
YMDDYGIAD GORFODAETHYRROL
YMOSODEDD

30300 CAETHIWED

ADDYSG AR ALCOHOL
ALCOHOL
ALCOHOLIAETH
AMFFETAMIN DISCOTECIAU
BACO
BARBITIWRADAU
BENSODIASEPINAU
CAETHIWED
CAETHIWED I GAMBLO
CAETHIWED I WAITH
CAMDDEFNYDDIO ALCOHOL
CAMDDEFNYDDIO CYFFURIAU
CAMDDEFNYDDIO MEDDYGINIAETHAU
CANABIS
COCÊN
CRAC
CYFFURIAU
CYFNEWID NODWYDDAU
CYMERIANT ALCOHOL
CYMERIANT CYFFURIAU
CYMERIANT MEDDYGINIAETHAU
CYNGHORI AR ALCOHOL
CYNGHORI AR GAETHIWED
CYNGHORI AR GYFFURIAU
DADWENWYNO
DEFNYDDIO BACO
DEFNYDDIO NODWYDDAU
DIBYNIAETH AR FEDDYGINIAETHAU
DIBYNIAETH AR GYFFURIAU
DIBYNIAETH AR NICOTIN

ECSTASI

GAMBLO

ISELYDDION

LSD

MADARCH HUD

METHADON

POENLEDDFWR

POLISI ALCOHOL

POLISI CYFFURIAU

POLISI YSMYGU

POPWYR

RHITHBEIRYNNAU

STEROIDAU ANABOLIG

STOPIO YSMYGU

SYMBYLYDDION

TAWELYDDION

THERAPI AT GAETHIWED

THERAPI DADWENWYNO

TODDYDDION

YSMYGU

YSMYGU GODDEFOL

30400 CYNLLUNIO TEULU A IECHYD RHYWIOL

ANFFRWYTHLONDEB

ANFFRWYTHLONI

ARFER RHYWIOL

ATAL CENHEDLU

ATAL CENHEDLU BRYS

ATAL CENHEDLU NATURIOL

BEICHIOGIAD

BEICHIOGRWYDD

BEICHIOGRWYDD DIGROESO

CENHEDLIAD CYNORTHWYEDIG

CONDOMAU

CYD-FYW

CYFATHRACH RYWIOL

CYFUNRYWIOLDEB

CYNGHORI AR ENETEG

CYNGHORI AR RYW

CYNLLUNIO TEULU

DEURYWIOLDEB

DIAFFRAMAU

DIWEIRDEB

DULLIAU ATAL CENHEDLU

DYFEISIAU YN Y GROTH

ENWAEDIAD

ERTHYLIAD

FFEMIDONAU

GENEDIGAETHAU LLUOSOG

GENI PLENTYN

HETERORYWIOLDEB

LLURGUNIAD GENITALIA

LLYSDEULUOEDD

MABWYSIADU

MASTYRBIO

PAEDOFFILIA

PARTNERIAETH

PARTNERIAETH UN-RHYW

PERTHYNAS O FEWN TEULU

PERTHYNAS BERSONOL

PRIODAS

RHYW GENEUOL

RHYW MWY DIOGEL

RHYW RHEFROL

RHYWIOLDEB

SADOMASOCISTIAETH

SPERMLEIDDIAD

TEULUOEDD

TEULUOEDD MAETH

TEULUOEDD ESTYNEDIG

TEULUOEDD SY'N MABWYSIADU

TEULUOEDD NIWCLEAR

TEULUOEDD UN RHIANT

TRAWSRYWIOLDEB

YMDDYGIAD RHYWIOL

YSGARIAD

30500 AMGYLCHEDD, AMODAU BYW

ADEILADWAITH ECOLEGOL

AER

AILGYLCHU GWASTRAFF

AMGYLCHEDD

AMGYLCHEDD ADEILEDIG

AMODAU BYW

ANSAWDD TAI

ASBESTOS

AWYRIAD

CARTREFI I BOBL ANABL

CLUDIANT PREIFAT

DŴR

FFLWORIDEIDDIO

GWAREDU GWASTRAFF

GWASTRAFF

GWASTRAFF TŶ

GWASTRAFF YMBELYDROL

GWASTRAFF YSBYTY

HAUL

HINSAWDD

LLETY CYSGODOL

LLYGREDD

LLYGREDD DŴR

LLYGREDD AER

LLYGREDD AMAETHYDDOL

LLYGREDD DIWYDIANNOL

LLYGREDD PRIDD

LLYGREDD SŴN

LLYGREDD YMBELYDREDD

MANNAU CHWARAE

MYNEDIAD I BOBL ANABL

OSON

SYNDROM ADEILAD AFIACH

TAI

TAI AFIACH

TRYCHINEBAU

TRYCHINEBAU DIWYDIANNOL

TRYCHINEBAU NIWCLEAR

TRYCHINEBAU

30600 DIOGELWCH

ADDYSG DIOGELWCH

ADDYSG DIOGELWCH GALWEDIGAETHOL

AMDDIFFYNIAD RHAG YMBELYDREDD

ATAL TÂN

ATAL TRYCHINEBAU

CWYMPIADAU

DAMWEINIAU

DAMWEINIAU DŴR

DAMWEINIAU TRAFNIDIAETH

DAMWEINIAU YN Y CARTREF

DIOGELWCH

DIOGELWCH AR Y FFYRDD

DIOGELWCH DIWYDIANNOL

DIOGELWCH GALWEDIGAETHOL

DIOGELWCH PERSONOL

DIOGELWCH RHAG TÂN

DIOGELWCH YN Y CARTREF

DYFEISIAU DIOGELWCH

FFRWYDRON

HYBU IECHYD YN Y MAN GWAITH

MESURAU DIOGELWCH

OFFER DIOGELWCH

RHEOLIADAU TRAFNIDIAETH

SYLWEDDAU GWENWYNIG

SYLWEDDAU TRA FFLAMADWY

YMBELYDREDD

YMDDYGIAD WRTH YRRU

30700 MAETHIAD

ADDYSG AR DDIET
ADDYSG MAETH
AMNEWIDYN CIG
ARFERION BWYTA
BWYD
BWYD SYDYN
BWYDO Â PHOTEL
BWYDO AR Y FRON
CADW BWYD
CAETHIWED I FWYD
CALORI
CALSIWM
CAMFAETHIAD
CARBOHYDRADAU
CARBOHYDRADAU CYMHLETH
CIG
CNAU
CORBYS
CYNNYRCH GRAWNFWYD
CYNNYRCH LLAETH
DA PLUOG
DIET
DIFFYG FITAMINAU
DIFFYG MAETH
DILYN DIET
ELFENNAU HYBRIN
ELFENNAU MAETH
FFIBR
FFRWYTHAU
FITAMINAU
GLWTEN
GORBWYSEDD
GORDEWDRA
GRŴP FITAMINAU A
GRŴP FITAMINAU B
GRŴP FITAMINAU C
GRŴP FITAMINAU D
GRŴP FITAMINAU E
GRŴP FITAMINAU K
GWENWYN BWYD
HAEARN
HYLENDID BWYD
LABELU
LIPIDAU
LIPOPROTEINAU DWYSEDD ISEL
LIPOPROTEINAU DWYSEDD UCHEL
LLYSIAU
MAETHIAD
MAETHIAD BABANOD
MAETHIAD LLYSIEUOL
MAETHIAD ORGANIG
MAETHIAD PLANT
MWYNAU
PARATOI BWYD
PROSESU BWYD
PROTEINAU
PWYSAU
PWYSAU ISEL
PYSGOD
RHEOLIAD BWYD
SIWGR
SODIWM
STARTS
STATWS MAETH
STORIO BWYD
UNEDAU ARDDANGOS GWELEDOL
WYAU
YCHWANEGION BWYD

30800 MATERION CYMDEITHASOL

AFLONYDDWCH RHYWIOL
ARWAHANU CYMDEITHASOL

CAM-DRIN PARTNER

CAM-DRIN PLANT

CAM-DRIN PLANT YN RHYWIOL

CAM-DRIN RHIENI

CAM-DRIN RHYWIOL

CAM-DRIN YR HENOED

CANOLFANNAU CADW

CARCHARDY

CREULONDEB MEDDWL

DIGARTREFEDD

EWTHANASIA

FANDALIAETH

LLOSGACH

MATERION CYMDEITHASOL

MOESEG

MUDO

POBLOGAETHAU SY'N HENEIDDIO

PROBLEMAU'R DRYDEDD GENHEDLAETH

PROBLEMAU'R AIL GENHEDLAETH

PUTEINDRA

STATWS ECONOMIG GYMDEITHASOL

SYMUDEDD

TLODI

TRAIS

TRAIS RHYWIOL

TRAMGWYDDAETH YR IFANC

TREISIO

TROSEDD

TWRISTIAETH RHYW

YMDDYGIAD ANGHYMDEITHASOL

30900 GWEITHGAREDD CORFFOROL A CHWARAEON

AMSER HAMDDEN

ANAFIADAU CHWARAEON

CERDDED

CHWARAEON

DAWNSIO

DOPIO

GWEITHGAREDD CORFFOROL

GWEITHGAREDDAU HAMDDEN

GWYLIAU

HYFFORDDIANT GYDA PWYSAU

LONCIAN

MEDDYGAETH CHWARAEON

NOFIO

TEITHIO

YMARFERION

YMARFERION YMLACIO

YMARFERION CYN-GENI

31000 GWEITHREDIADAU A PHROSESAU'R CORFF

ANATOMI

BIORHYTHMAU

BLINDER

BREUDDWYDIO

CODI

CWSG

DATBLYGIAD CORFFOROL

FFISIOLEG

GLASOED

HENEIDDIO

HORMONAU

MARWOLAETH

MISLIF

OSGO

RHYTHMAU CIRCADAIDD

SYSTEM ENDOCRIN

SYSTEM GARDIOFASGIWLAR

SYSTEM GYHYRYSGERBYDOL

SYSTEM IMIWNEDD

SYSTEM NERFOL GANOLOG

TWF

40000 TERMAU ATODOL

ACHOSIAETH

AGWEDDAU AMLDDIWYLLIANNOL

ANIFEILIAID

ATAL

BENYW

CENEDLAETHOL

COFRESTRU

CREFYDD

CYDWEITHREDIAD

CYDWEITHREDIAD RHYNGADRANNOL

CYFLE CYFARTAL

CYFRIFOLDEB

CYMDEITHAS

CYMHARIAETH RYNGWLADOL

CYSYNIADAU

DADANSODDIAD

DAEARYDDIAETH

DARGANFYDDIADAU

DATBLYGIAD

DATBLYGIAD PERSONOL

DULLIAU

DYFODOL

EFFEITHIAU

EFFEITHLONEDD

GOGWYDD CWSMERIAID

GOGWYDD MASNACHOL

GORUCHWYLIAETH

GORUWCHGENEDLAETHOL

GRWPIAU

GWEITHDREFNAU

GWEITHREDU

GWRYW

GWYBODAETH

GWYLIADWRIAETH

HANES

HYLENDID

LLEOL

MODELAU

MOESOLDEB

NEWYDDBETH

PERSWÂD

PROGNOSIS

PROJECTAU

RHANBARTHOL

RHEOLIADAU

RHWYDWEITHIAU

RHYNGWLADOL

RISG

STRATEGAETH

STRWYTHURAU

SYSTEMAU

TARDDIAD

TECHNOLEG

THEORI

THERAPI

YMYRIADAU

50000 GRWPIAU TARGED

ARBENIGWYR

ARBENIGWYR LLEYG

ARBENIGWYR MEDDYGOL

BABANOD

BECHGYN

BRODYR/CHWIORYDD

BYDÏAID

BYDWRAGEDD

CLEIENTIAID

CLEIFION

CLEIFION AG AFIECHYD CRONIG

CROESAWYR

CYFEILLION

CYFIEITHWYR

CYFLOGWYR

CYFRYNGWYR

CYNGHORWYR

CYNGHORWYR DISGYBLION

CYNORTHWYWYR DEINTYDDOL

CYNORTHWYWYR FFERYLLFA

DARPAR RIENI

DEFNYDDWYR

DEFNYDDIWR ALCOHOL

DEFNYDDIWR CYFFURIAU

DEINTYDDION

DEURYWIOLION

DIBYNWYR AR ALCOHOL

DIETEGWYR

DIODDEFWYR

DIODDEFWYR RHYFEL

DYNION

DYNION HOYW

EIRIOLWYR AR RAN CLEIFION

FFERYLLWYR

FFISIOTHERAPYDDION

FFOADURIAID

GAMBLWYR

HYLENYDDION DEINTYDDOL

GOFALWYR

GOFALWYR YSBRYDOL

GRWPIAU ANODD I'W CYRRAEDD

GRWPIAU TARGED

GRWPIAU DU AC ETHNIG LLEIAFRIFOL

GWŶR GWEDDW

GWEITHWYR

GWEITHWYR GOFAL GERIATRIG

GWEITHWYR GOFAL TEULU

GWEITHWYR IFAINC

GWEITHWYR PROFFESIYNOL GOFAL IECHYD

GWEITHWYR PROFFESIYNOL GOFAL IECHYD MEDDWL YN Y GYMUNED

GWEITHWYR RHYW

GWEITHWYR CYMDEITHASOL

GWIRFODDOLWYR

GWLEIDYDDION

GWRAGEDD

GWRAGEDD BEICHIOG

GWRAGEDD GWEDDW

GWRTHODWYR YSGOL

HEDDLU

HETERORYWIOLION

LESBIAID

MAMAU

MAMAU YN EU HARDDEGAU

MEDDYGON

MEDDYGON CWMNI

MEDDYGON TEULU

MERCHED

MUDWYR

MYFYRWYR

NEWYDDIADURWYR

NYRSYS

NYRSYS ARDAL

NYRSYS CYNORTHWYOL

NYRSYS IECHYD GALWEDIGAETHOL

OEDOLION

OEDOLION IFAINC

PARAFEDDYGON

PARTNERIAID

POBL Â DEMENTIA

POBL AG ANABLEDDAU

POBL AG ANABLEDDAU CLYW

POBL AG ANABLEDDAU CORFFOROL

POBL AG ANABLEDDAU DYSGU

POBL AG ANABLEDDAU GOLWG

POBL AG ANABLEDDAU SEICIATRIG

POBL ANABL

POBL CANOL OED

POBL DIFREINTIEDIG

POBL DIGARTREF

POBL DI-WAITH

POBL DI-WAITH TYMOR HIR

POBL HEN IAWN

POBL HIV-BOSITIF

POBL HOYW

POBL HŶN

POBL IFANC

POBL MEWN PROFEDIGAETH

POBL SENGL

POBL SY'N DIBYNNU AR GYFFURIAU

POBL WEDI YMDDEOL

PERSONÉL MILWROL

PERTHYNAS AGOSAF SY'N FYW

PLANT

PLANT Â PHROBLEMAU YMDDYGIAD

PLANT AG AFIECHYD CRONIG

PLANT AG ANAWSTERAU DYSGU

PLANT BACH

PLANT DAN OED YSGOL

PLANT MABWYSIEDIG

PLANT WEDI RHEDEG I FFWRDD

PLANT YSGOL

RHEOLWYR

RHEOLWYR LLINELL

RHIENI

RHIENI SY'N MABWYSIADU

RHIENI SENGL

RHIENI YN EU HARDDEGAU

RHODDWYR

SEICIATREGWYR

SEICOLEGWYR

SEICOTHERAPYDDION

SWYDDOGION GWYBODAETH

TADAU

TADAU YN EU HARDDEGAU

TEITHWYR

TRAMGWYDDWYR

TRAWSRYWIOLION

TROSEDDWYR

YMCHWIL AMLDDISGYBLAETHOL

YMWELWYR

YSMYGWYR